足疗治百病

主编 纪青山 李杰

吉林科学技术出版社

策划　韩　捷

编者　王　胜　　刘　伟　　胡金凤

　　　　冯笑萍　　郎　兵　　刘　春

　　　　李代杰　　李　杰　　纪青山

【吉】新登字 03 号

足疗治百病　　　　　　　　　　　　纪青山　李　杰　主编

责任编辑：韩　捷　　　　　　　　　　　　　封面设计：马腾骧

出版　吉林科学技术出版社　787×1092 毫米 32 开本　　7.625 印张

　　　　　　　　　　　　　　　　　　　　　　　　　164 000 字

发行　吉林省新华书店　1993 年 4 月第 1 版　1993 年 4 月第 1 次印刷

　　　　　　　　　　　印数：1—15 140 册　　　　　定价：3.80

印刷　长春新华印刷厂　ISBN　7—5384—1078—3/R·213

前　言

　　足疗是祖国医学的组成部分。它是在漫长的医疗实践中，经过历代医家的共同努力所创立的独特疗法之一。足通过经络与脏腑密切联系，足部存在着与人体各脏腑组织器官相应的固定的对应区，采用多种疗法给予刺激，可达到治疗疾病、预防疾病和保健目的。足疗的特点是疗效确切，应用广泛，方法多样，易于掌握，无副作用。医者施用方便，患者乐于接受。

　　为满足众多医务工作者和广大读者的要求，我们撰写了《足疗治百病》一书。本书对临床、教学、科研均有较高的参考价值，可供医务工作者、医学院校学生和自学者学习参考，也是家庭自我诊疗的必备书。

　　本书以中医理论及生物全息律理论为指导，注重中西医结合，编写时力求简明扼要，通俗易懂。全书共分九章，介绍了足疗的源流，适应范围，足部解剖，人体脏器在足部的对应区，足部识病法，足部按摩、针灸、贴敷、薰浴及足功等多种行之有效的治病方法，治疗疾病达百余种。

　　本书是集各种疗法为一体的我国首部足疗专书。在编写过程中，我们参考了大量文献。由于我们的经验不足，难免有误，恳请读者批评指正。

编　者

1992 年 11 月

目 录

第一章　足疗概述

第一节　足疗的源流

　　足疗,是通过对足部的一定部位施以特定的按摩手法或借助某些器具(如针灸、按摩棒等)或某些药物外贴或药液洗浴等,通过对足部穴区的刺激,调整脏腑虚实,疏通经络气血,以防治某些疾病,达到养生保健目的的方法。

　　从医学发展史来看,足疗的起源远远早于其他疗法。在古代,由于自然界的意外袭击或某些原因造成身体的损伤,使身体产生疼痛不适等症状,人们有意或无意中用手或其他器具触及足部某些部位,发现疼痛缓解,症状减轻;发现劳累后用热水洗脚后可解除疲劳等,人们逐渐认识到通过对足部的刺激可治疗疾病。经过长期地探索和总结,渐渐地演化为现在的足部按摩法、足穴针灸法、足部贴敷法、足部薰浴法、足部功法等足疗法。

　　据《史记》载,上古黄帝时代,有位高明的医家叫俞跗,俞与愈通,跗即足背,意为以按摩足部治愈疾病。俞跗的诊疗水平很高,春秋战国时的名医扁鹊,在为虢太子治疗尸厥时,接待他的中庶子就十分赞扬俞跗,说他治病不以"汤液醴酒",而能"一拨见病之应"。

　　《素问·举痛论》明确地指出:"按之则气血散,故按之痛止。"《素问·厥论》说："阳气起于足五趾之表,阴气起于足五趾之里。"认为足三阴经起于足,足三阳经止于足,足三阴经和足三阳经又与手三阴、手三阳经相互联系,奇经八脉中阴、阳维脉,阴、阳跷脉起于足部,这样足部就与全身脏腑器官通过经脉联系起来,为足部治疗提供了理论依据,并发现了足部的许多腧穴和足部趺阳脉诊病法。

足针治疗疾病,早在《灵枢·根结》中即有刺窍阴、至阴、厉兑、冲阳等穴以泻充盛之气的记载。晋代皇甫谧的《针灸甲乙经》中也有所述,且内容较前更为丰富。足部贴敷法治病,在原始社会,原始人就曾用泥土、草叶敷裹伤口。《内经》中记载用白酒掺和桂粉涂敷中风的血脉,是外敷法较早的文字记载。明代《普济方》内记述用生附子研末,和葱涎为泥,敷涌泉穴,来治疗鼻渊。足部薰浴法治病,在清代吴尚先的《理瀹骈文》中就有二十余首薰蒸方药。足部功法历史悠久,在古代医书中就有许多足功法的记载。在清代潘霨所著《内功图说》中,就有心功、身功、首功、面功、手功、足功、背功、腰功、肾功等治疗疾病的论述。

但是,由于中国二千多年的封建社会,封建意识和习俗使人的脚藏而不露,赤踝裸足为大不雅,严重阻碍了足疗的学术发展,使得这一古老医术濒临失传。

唐朝时,足穴按摩法传入日本,被称为"足心道"疗法。

清朝末年,随着外强的入侵,大量医学文献的外流,足部疗法也被流传到欧美等国家,并被接受和发展。本世纪初,美国的威廉·菲兹杰拉德以现代医学方法进行整理研究,1917年发表了《区域疗法》,在医学界公开发表。到了30年代,美国的印古哈姆女士对"区带疗法"进行了进一步研究,描述了足底反射区和投影脏器。1975年,德·玛鲁卡多经过自己的临床实践和理论研究编著了《足反射疗法》，在联邦德国出版后到 1986 年，该书重印 18 版计 10 余万册，并创办了"国际反射学研究所"。此外，台湾的瑞士籍吴若石神父译的《未来的健康》，日本野祥太郎的《人的足》、星虎男的《足穴的爽快法》、五十岗康彦的《足底按摩》、柴田和德的《足穴健康法》等对足疗的发展起了一定的积极作用。

可见，足疗源于古代中国，传入日本、欧美等国以后，许多有识之士不断研究、实践，予这一古老医术赋于新的内涵。这也说明，足疗是一门既古老又崭新的医疗方法，作为炎黄子孙，应为其发扬和完善，为人类的健康事业做出贡献。

第二节　足疗的适应范围

足疗是一种安全、简便、易学、有效、经济的无损伤医学的自然疗法。既可保健强体，又可防治疾病，但也有它的适用范围。

一、适应症

1. 足疗取效迅速的常见病：急性扁桃腺炎、牙痛、头痛、食物中毒、急性肠炎、痢疾、前列腺炎、遗尿、痔疮、呃逆、神经性胃痛、急性乳腺炎、急性中耳炎、产后恶露不净、美尼尔氏综合征、落枕、肩周炎、腕关节扭伤、网球肘、膝关节损伤、肋间神经痛、急性腰扭伤、腰肌劳损、脚底痛等。

2. 有较好疗效，但须坚持治疗的慢性病：慢性支气管炎、前列腺肥大、类风湿性关节炎、高血压、神经官能症、糖尿病、冠心病、心律失常、骨质增生、坐骨神经痛、慢性浅表性胃炎、慢性阑尾炎、肠痉挛、慢性结肠炎、习惯性便秘、慢性胆囊炎、慢性肾炎、乳房小叶增生、痛经、宫颈炎等。

3. 通常不易治疗的疑难病,足疗也可取效:子宫内膜异位症、乳房肿瘤、中心性视网膜炎、复视、三叉神经痛、肝硬化腹水、子宫肌瘤、性交痛、萎缩性胃炎。

二、足疗的作用

1. 对疼痛有明显的缓解作用。

2. 对中枢神经系统的兴奋和抑制,有明显的调节作用。

3. 对消化系统的消化和吸收功能,有明显的促进作用。

4. 对神经——体液平衡有明显的调节作用,可提高肾上腺皮质机能。

5. 提高机体免疫防御机能,从而起到抗衰老、增强抗病力、强健体质的作用。

三、禁 忌 症

有下列情况者,不宜使用足疗:

1. 高热,特别是病因不明者。

2. 下肢静脉炎或有血栓者。

3. 外科手术适应症者。

4. 足部有坏疽、感染或有化脓性病灶者。

5. 足部未排除骨折者。

6. 年龄过大、体质极虚弱、耐受力差者。

第二章 足部解剖简介

第一节 足部骨骼

足骨包括跗骨、距骨和趾骨三部分(图1)。

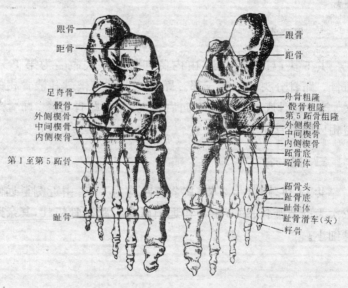

足背(上)面　　　足底(下)面

图 1 足 骨

一、跗　骨

每侧 7 块，属于短骨，与手的腕骨相当，但跗骨承重并传递弹跳力，故粗大而砌合紧密。跗骨也可分为近侧与远侧两列。近侧列包括跟骨、距骨和足舟骨；远侧列由内侧向外侧依次为内侧楔骨、中间楔骨、外侧楔骨和骰骨。距骨高居于其他跗骨之上，前端与足舟骨相接，上方有关节面称距骨滑车，与胫、腓骨下端相关联。跟骨最大，位于距骨下方，其上面有关节面与距骨相关联。足舟骨介于距骨与 3 个楔骨之间，其内下方有一隆起，称为舟骨粗隆。跟骨结节和舟骨粗隆，都可在体表触知。

二、跖　骨

共 5 块，与掌骨相当，由内侧向外侧依次命名为第 1～5 跖骨。跖骨分头、体、底三部。跖骨底分别与楔骨和骰骨相关联。第 5 跖骨底的外侧份突向后，称为第 5 跖骨粗隆。跖骨头与相应的趾骨相关联。

三、趾　骨

共 14 块，踇趾为 2 节，其余各趾均为 3 节。由近侧至远侧依次为近节趾骨、中节趾骨和远节趾骨。踇趾骨粗壮，其余趾骨细小。

第二节 足部肌肉

一、足背肌

较弱小,为伸踇趾和伸第2~4趾的小肌。

二、足底肌

其配布情况和作用与手肌相似。足底肌也分为内侧群、外侧群和中间群(图2、3),但无与拇指对掌肌相当的肌。内侧群有踇展肌、踇短屈肌和踇收肌;外侧群有小趾展肌和小趾短屈肌;中间群有趾短屈肌、足底方肌、蚓状肌和骨间肌。其中足底方肌的作用主要是与其他底肌一起维持足弓。

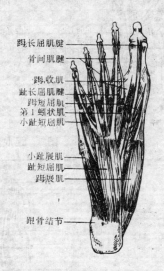

踇长屈肌腱
骨间肌腱
踇收肌
趾长屈肌腱
踇短屈肌
第1蚓状肌
小趾短屈肌

小趾展肌
趾短屈肌
踇展肌

跟骨结节

图2 足底肌(浅层)

第三节 足部神经

足部神经是从胫神经和腓总神经分出。胫神经在腘窝与腘动、静脉伴行。在小腿经比目鱼肌深面伴胫后动脉下降,过内踝后方,在分裂韧带深面分为足底内侧神经和足底外侧神

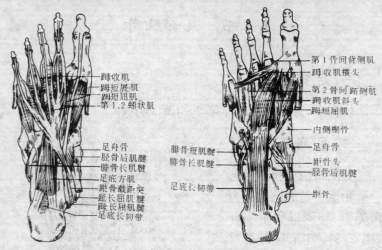

左图标注（从上到下）：
蹈收肌
蹈短展肌
蹈短屈肌
第1、2蚓状肌

足舟骨
胫骨后肌腱
腓骨长肌腱
足底方肌
跟骨载距突
趾长屈肌腱
蹈长屈肌腱
足底长韧带

右图标注（从上到下）：
第1骨间背侧肌
蹈收肌横头
第2骨间跖侧肌
蹈收肌斜头
蹈短屈肌
内侧楔骨
足舟骨
距骨头
胫骨后肌腱
距骨

腓骨短肌腱
腓骨长肌腱
足底长韧带

图3 足底肌(中、深层)

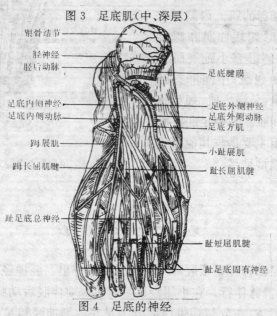

左侧标注（从上到下）：
跟骨结节
胫神经
胫后动脉
足底内侧神经
足底内侧动脉
蹈展肌
蹈长屈肌腱
趾足底总神经

右侧标注（从上到下）：
足底腱膜
足底外侧神经
足底外侧动脉
足底方肌
小趾展肌
趾长屈肌腱
趾短屈肌腱
趾足底固有神经

图4 足底的神经

经(图 4),二终支入足底,肌支支配足底诸肌,皮支分布于足底的皮肤;胫神经损伤引起的主要运动障碍是足不能跖屈,内翻力弱,不能用足尖站立或行走,感觉障碍区主要在足底面。腓总神经经过足背和趾背的皮肤;腓总神经受损后主要表现为足不能背屈,足下垂,并有内翻,趾不能伸,感觉障碍主要在足背。

第四节　足部血管

足部血管包括足动脉和足静脉。

一、足 动 脉

足动脉包括足底内侧动脉、足底外侧动脉(图 5)和足背动脉(图 6)。

1. 足底内侧动脉:为胫后动脉较小的一终支,经踇展肌与趾短屈肌之间前行,沿途分支分布于足底内侧部。

2. 足底外侧动脉:较足底内侧动脉稍粗大,先斜行向前外方,继沿趾短屈肌和足底方肌之间前行,至第 5 跖骨底附近再弯向内侧,达第 1 跖骨间隙近侧部与足背动脉的足底深支吻合,形成足底弓。自足底弓向前发出数条跖足底动脉,足跖趾关节附近,各支再分为 2 条趾底固有动脉,分布于相邻足趾的相对缘。足底外侧动脉在途中分支至足底外侧部。

3. 足背动脉:为胫前动脉的直接延续,经踇长伸肌腱与趾长伸肌腱之间前行,至第 1 跖骨间隙近侧端分出足底深支和跖背动脉。足底深支经第 1 跖骨间隙至足底,与足底外侧动脉吻合,形成足底弓。跖背动脉又分为细小的趾背动脉,分布于各趾背。足背动脉沿途分支营养跗骨及足背结构。足背动脉

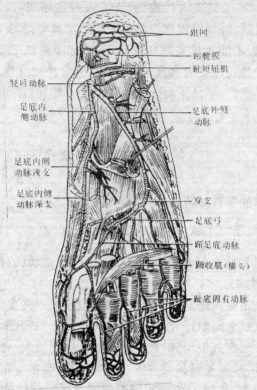

跟网

跖腱膜

趾短屈肌

胫后动脉

足底内侧动脉

足底外侧动脉

足底内侧动脉浅支

足底内侧动脉深支

穿支

足底弓

跖足底动脉

踇收肌(横头)

趾底固有动脉

图5　足底的动脉

的位置浅表,于踇长伸肌腱的外侧可触知其搏动。

二、足静脉

足静脉属下肢静脉的一部分,有浅、深静脉之分。

下肢的浅静脉,主要有起于足背静脉弓的小隐静脉和大隐静脉。足背静脉弓由趾背静脉汇合形成,位于跖骨远侧端的背侧。

下肢的深静脉,都与同名动脉伴行,在小腿以下,每条动脉都有两条伴行静脉。

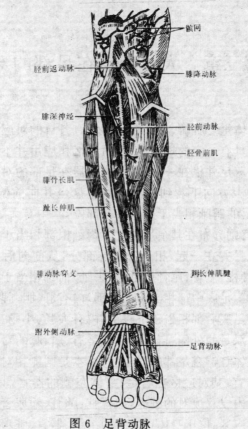

膝网

胫前返动脉

膝降动脉

腓深伸经

胫前动脉

胫骨前肌

腓骨长肌

趾长伸肌

腓动脉穿支

蹽长伸肌腱

跗外侧动脉

足背动脉

图6 足背动脉

第三章　人体脏器在足部的对应区

人体重要脏腑、器官在足部均有各自的对应区,在位置的排列上具有一定的规律性,因而记忆和应用并不很困难。

当双足并拢在一起时,人体脏器在足部的对应区,就象一个从后上方向下看到的一个屈腿盘坐并向前俯伏的投影人形。两足的蹰趾相当于人体头颅部位,其中有大脑、小脑、脑垂体,五官则分布在其余足趾处。蹰趾根部相当于人体颈项部。双侧足弓并在一起,相当于脊椎部分,从前向后依次为颈椎、胸椎、腰椎、骶骨、尾骨。足底(去趾)前部相当于胸腔,内有肺脏、心脏。足底中部相当于上腹部,内有肝、胆、脾、胃、胰、肾等脏器。足底后部相当于下腹部,内有大肠、小肠、膀胱、生殖器官等。双足的外侧,自前向后则是肩、肘、膝的对应区。

人体脏器在足部的对应区,基本是同侧相对应,即身体右侧的器官,其对应区在右足;身体左侧的器官,其对应区在左足。体内成双成对的脏器,如肾脏、肺脏、输尿管等,在双足均有其对应区。位于身体正中线的组织、器官、脏腑,其对应区在双足的内侧。如大脑、小脑、鼻、扁桃腺、胃、脊柱等,其对应区均在双足内侧。而肝、脾、耳等脏器的对应区则位于双足的外侧。这里还要指出的是,头部的一些器官、组织在足部的对应区却是交叉分布的,如大脑、额窦、三叉神经、眼、耳等,这与神经纤维在脑和脊髓内发生交叉是一致的。鉴于上述情况,治疗左侧三叉神经痛时,应按摩右足的三叉神经对应区;相反的,右侧三叉神经痛时,应按摩左足三叉神经对应区。

　　为了便于读者掌握人体各脏腑、组织、器官在足部的对应区,本章除详细介绍每个对应区的位置、适应症外,还把各个对应区编成序号,以便记忆。

一、右足底对应区示意图(图7)

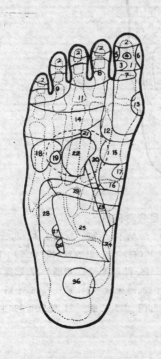

1.头(脑)、左半球　2.额窦(左半边)　3.脑干、小脑　4.脑垂体　5.三叉神经(左)　6.鼻　7.颈　8.眼(左)　9.耳(左)　11.斜方肌(颈、肩部)　12.甲状腺　13.甲状旁腺　14.肺和支气管　15.胃　16.十二指肠　17.胰腺　18.肝脏　19.胆囊　20.腹腔神经丛　21.肾上腺　22.肾脏　23.输尿管　24.膀胱　26.盲肠(阑尾)　27.回盲瓣　28.升结肠　29.横结肠　36.生殖腺(卵巢或睾丸)

图7　右足底对应区

二、左足底对应区示意图（图8）

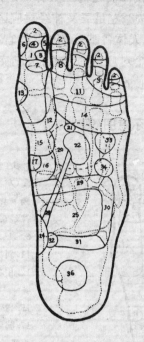

图8　左足底对应区

1.头（脑）、右半球　2.额窦（右半边）　3.脑干、小脑　4.脑垂体　5.三叉神经（右）　6.鼻　7.颈　8.眼（右）　9.耳（右）　11.斜方肌（颈、肩部）　12.甲状腺　13.甲状旁腺　14.肺、支气管　15.胃　16.十二指肠　17.胰腺　20.腹腔神经丛　21.肾上腺　22.肾脏　23.输尿管　24.膀胱　25.小肠　29.横结肠　30.降结肠　31.直肠　32.肛门　33.心脏　34.脾脏　36.生殖腺（卵巢或睾丸）

三、足外侧对应区示意图（图9）

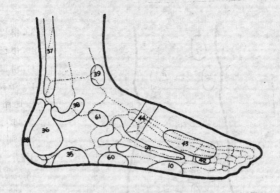

图 9　足外侧对应区

5.三叉神经　10.肩　35.膝　36.生殖腺　37.下腹部　38.髋关节　39.淋巴腺(上身)　42.平衡器官(内耳迷路)　43.胸　44.横隔膜　58.坐骨神经　59.肩胛　60.肘关节　61.肋骨

四、足内侧对应区示意图（图10）

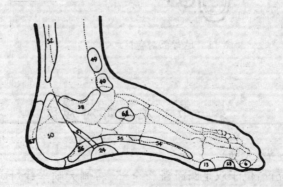

图 10　足内侧对应区

6.鼻　13.甲状旁腺　24.膀胱　38.髋关节　40.淋巴腺(腹部)　49.腹股沟　50.子宫、前列腺　51.阴茎、阴道、尿道　52.肛门、直肠(痔疾)　53.颈椎　54.胸椎　55.腰椎　56.骶骨　57.尾骨　61.肋骨

五、足背部对应区示意图（图11）

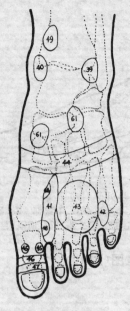

39. 淋巴（上身）

40. 淋巴（腹部）

41. 淋巴（胸部）

42. 平衡器官（内
耳迷路） 43. 胸

44. 横隔膜

45. 扁桃腺 46.
下腭 47. 上腭

48. 喉、气管、声带

49. 腹股沟

61. 肋骨

图 11　足背部对应区

第一节　足底部对应区

1. 头（大脑）

位置：位于双足蹈趾趾腹全部。右侧大脑半球对应区在左足，左侧大脑半球对应区在右足（图12）。

适应症：高血压、脑血管病变、脑外伤综合征、头昏、头痛、头重、失眠、视觉受损、神经衰弱、神志不清。

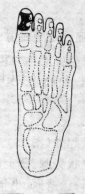

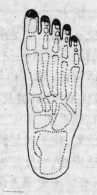

图 12　头(大脑)　　　　　　　图 13　额　窦

2. 额窦

位置:位于双足踇趾靠尖端约 1cm 的范围,及其他各足趾尖端肉球部。右侧额窦对应区在左足,左侧额窦对应区在右足(图13)。

适应症:中风、脑外伤综合征、鼻窦炎、头痛、头晕、头重、失眠、发烧、眼、耳、鼻、口疾患。

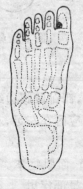

图 14　脑干、小脑　　　　　　图 15　脑垂体

3.脑干、小脑

位置:位于双足蹑趾趾腹根部,靠近近节趾骨外侧处。右侧小脑的对应区在左足,左侧小脑的对应区在右足(图14)。

适应症:脑外伤综合征、脑肿瘤、高血压、失眠、头晕、头痛、肌肉紧张、肌腱及关节疾患。

4.脑垂体

位置:位于双足蹑趾趾腹中央隆起处(图15)。

适应症:内分泌失调(甲状腺、甲状旁腺、肾上腺、生殖腺、脾、胰等功能失调诸病)、小儿发育不良、遗尿、更年期综合征。

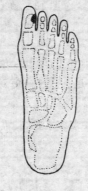 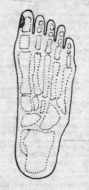

图16 三叉神经　　　　　图17 鼻

5.三叉神经

位置:位于双足蹑趾远节趾骨外侧,蹑趾趾腹边缘。三叉神经对应区在对侧(即右侧三叉神经对应区在左足,左侧三叉神经对应区在右足)(图16)。

适应症:偏头痛、面瘫、三叉神经痛、面肌痉挛、各种面部神经痛、腮腺炎、失眠、头面部及眼、耳、鼻部疾患。

6.鼻

位置:位于双足踇趾远节趾骨内侧,自趾腹边缘延伸到踇趾趾甲部。鼻中膈左侧对应区在右足,鼻中膈右侧对应区在左足(图17)。

适应症:鼻塞、流涕、急慢性鼻炎、鼻出血、过敏性鼻炎、鼻窦炎等鼻部疾患及上呼吸道感染。

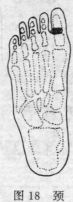 

图18　颈　　　　　　　图19　眼

7.颈

位置:位于双足踇趾趾腹根部横纹处(图18)。

适应症:颈部酸痛、僵硬、软组织损伤等颈部疾患及颈椎病、高血压、落枕。

8.眼

位置:位于双足第2趾与第3趾根部。右眼对应区在左足,左眼对应区在右足(图19)。

适应症:结膜炎、角膜炎、近视、老花眼、远视、青光眼、白内障、视神经萎缩及眼底出血。

9.耳

位置:位于双足第4趾与第5趾根部。右耳对应区在左足,左耳对应区在右足(图20)。

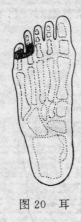

图20　耳

图21　斜方肌(颈、肩部)

适应症:外耳道疖肿、中耳炎、耳鸣、耳聋、鼻咽癌、腮腺炎。

11. 斜方肌(颈、肩部)

位置:位于双足底眼、耳对应区下方,自第1趾骨起至外侧肩对应区处,成横带状,宽度约1横指(图21)。

适应症:颈、肩、背部酸痛、肩胛部痛、上肢无力、麻木、落枕。

12. 甲状腺

位置:位于双足踇趾与第2趾蹼处沿第1跖骨头向内呈L形带状(图22)。

适应症:甲状腺机能亢进或低下、甲状腺炎、甲状腺肿大、肥胖症、心悸、失眠、情绪不安。

13. 甲状旁腺

位置:位于双足第1跖趾关节内侧(图23)。

适应症:甲状旁腺功能减退时出现手足搐搦、指掌关节屈

曲、喉及气管痉挛、失眠、呃逆、惊厥等。甲状旁腺功能亢进时

图 22　甲状腺　　　　　　　图 23　甲状旁腺

引起的四肢肌肉松弛、肾结石、病理性骨折、白内障，并可用于癫痫发作时的急救。

14.肺和支气管

位置：位于双足斜方肌对应区的近足心侧，自甲状腺对应

图 24　肺和支气管　　　　　　图 25　胃

区向外成带状到足底外侧的肩对应区处,约一横指宽的带状区域(图24)。

适应症:肺部及支气管疾患,如肺炎、支气管炎、哮喘、肺结核、肺气肿、胸闷。

15. 胃

位置:位于双足底第1跖趾关节后方(向足跟方向),约一横指宽(图25)。

适应症:胃痛、胃酸增多、胃溃疡、恶心、呕吐、急慢性胃炎、消化不良、胃下垂。

16. 十二指肠

位置:位于双足底第1跖骨底处,胃及胰对应区的后方(向足跟方向)(图26)。

适应症:胃及十二指肠疾患如腹胀、消化不良、十二指肠溃疡、食欲不振、食物中毒。

图26　十二指肠

图27　胰腺

17. 胰腺

位置:位于双足底内侧,胃对应区与十二指肠对应区之间

（图 27）。

适应症：糖尿病、胰腺囊肿、胰腺炎、上腹部疼痛。

18.肝脏

位置：位于右足底第 4 跖骨与第 5 跖骨间，在肺对应区后方（图 28）。

适应症：胁痛、肝炎、肝硬化、肝肿大、肝功能失调。

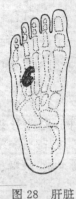 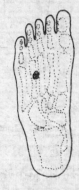

图 28　肝脏　　　　　　图 29　胆囊

19.胆囊

位置：位于右侧足底第 3、第 4 跖骨间，在肝脏对应区内侧（图 29）。

适应症：胆囊炎、胆结石、消化不良、黄疸、口苦、恶心、胁痛、胆道蛔虫症。

20.腹腔神经丛

位置：位于双足底第 2～4 跖骨体处，分布在肾对应区周围，呈椭圆形区域（图 30）。

适应症：消化系统的神经性疾患，如腹胀、吐泻、胃痉挛、胃肠神经官能症、胸闷、呃逆。

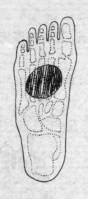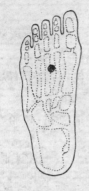

图 30　腹腔神经丛　　　　　　图 31　肾上腺

21.肾上腺

位置:位于双足底第 2、第 3 跖骨之间,距跖骨头近足心端一踇趾宽处(图 31)。

适应症:心律不齐、昏厥、休克、炎症、过敏、哮喘、风湿症、关节炎。

22.肾脏

位置:位于双足足底,第 2、第 3 跖骨体之间,近跖骨底处,跷足时呈凹陷处,即涌泉穴周围(图 32)。

适应症:急慢性肾炎、肾盂肾炎、肾结石、肾结核、泌尿系感染、水肿、肾脏功能不全、风湿症、关节炎、高血压、眩晕、头痛、耳鸣、耳聋、腰痛。

23.输尿管

位置:位于双足底自肾脏对应区斜向内后方,至舟状骨内下方,呈弧形带状区(图 33)。

适应症:排尿困难、尿潴留、输尿管结石、泌尿系统感染、肾盂积水、风湿热、关节炎、高血压、动脉硬化。

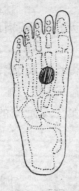

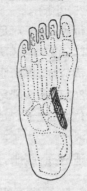

图 32　肾　脏　　　　　　图 33　输尿管

24.膀胱

位置:位于双足内踝前下方,舟状骨下缘,踇展肌内侧缘旁(图 34)。

适应症:肾、输尿管及膀胱结石、膀胱炎、尿频、尿急、尿痛、遗尿、尿潴留、尿失禁、高血压、动脉硬化。

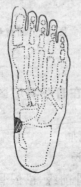

图 34　膀胱　　　　　　图 35　小肠

25. 小肠

位置：位于双足底中部凹入区域，为升结肠、横结肠、降结肠、直肠的对应区所包围（图35）。

适应症：胃肠胀气、腹泻、腹痛、急慢性肠炎、痢疾。

26. 盲肠及阑尾

位置：位于右足底跟骨外侧前缘，第4、5趾间的垂直线上（图36）。

适应症：腹胀、阑尾炎、小腹部疼痛。

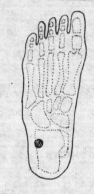

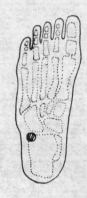

图36　盲肠及阑尾　　　　　　　图37　回盲瓣

27. 回盲瓣

位置：位于右足底跟骨外侧前缘，在盲肠对应区的前方（图37）。

适应症：消化不良、腹泻、腹胀、小腹痛。

28. 升结肠　29. 横结肠　30. 降结肠

位置：升结肠位于右侧足底，从跟骨前缘，沿骰骨外侧到第5跖骨底部。在小肠对应区的外侧，与足外侧缘平行，呈带状区（图38）。

横结肠位于双侧足底 1～5 跖骨底部与第 1～3 楔骨、骰骨交界处，为横越足底中部的带状区（图 39）。

降结肠位于左侧足底，第 5 跖骨底沿骰骨外缘至跟骨前缘，与足外侧呈平行的竖条状区（图 40）。

适应症：腹痛、腹泻、便秘、急慢性肠炎、结肠炎、肠结核、痢疾。

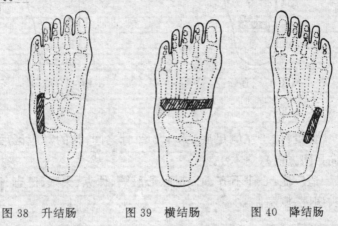

图 38　升结肠　　　图 39　横结肠　　　图 40　降结肠

31.直肠

位置：位于左侧足底，在跟骨前缘呈一横行带状区（图41）。

适应症：直肠炎、便秘、直肠息肉。

32.肛门

位置：位于左侧足底，跟骨内侧前缘，直肠对应区的末端（图 42）。

适应症：痔疾、肛裂、肛漏、直肠静脉曲张、便秘、脱肛。

图 41　直肠

图 42　肛门

33. 心脏

位置：位于左侧足底，第 4、5 跖骨之间，肺的对应区后方（向足跟方向）（图 43）。

适应症：心律不齐、心绞痛、心脏病、休克、失眠、健忘、癫、狂、痫证、癔病。

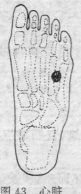

图 43　心脏

图 44　脾脏

34. 脾脏

位置:位于左侧足底,心脏对应区后方约 1cm,1、5 跖骨之间(图 44)。

适应症:贫血、食欲不佳、消化不良、四肢无力、月经不调。

36. 生殖腺(睾丸或卵巢)

位置:一个部位在双足底跟骨中央(图 45),另一部位在跟骨外侧(图 48)。

适应症:男女性功能低下、男子不育、女子不孕、遗精、阳痿、早泄、月经不调、经闭、痛经、子宫功能性出血、卵巢囊肿。

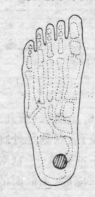

图 45　生殖腺(睾丸或卵巢)

第二节　足外侧对应区

10. 肩

位置:位于双足外侧,第 5 跖趾关节处(图 46)。

适应症:肩关节风湿、肩周炎、肩关节脱臼、颈椎病、上肢瘫痪。

35. 膝

位置:双足外侧,跟骨前缘,骰骨、距骨下方形成的半圆形凹陷处(图 47)。

适应症:膝关节扭伤、膝关节风湿、膝关节痛、下肢瘫痪。

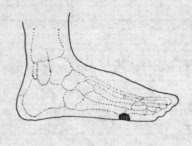

图 46 肩　　　　　　　　　图 47 膝

36.生殖腺（睾丸或卵巢）

位置：双侧足外踝后下方与跟腱前方的似三角形区域。与内踝下前列腺、子宫对应区位置相对称（图 48）。

适应症：见前面的生殖腺区。

37.下腹部

位置：双足外侧，腓骨外后方，自外踝向上延伸约四横指的带状区域（图 49）。

适应症：月经不调、痛经、经期紧张症、腹痛、腹胀。

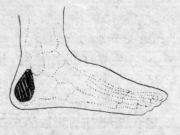
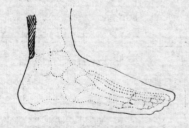

图 48 生殖腺　　　　　　　图 49 下腹部

38.髋关节

位置：外踝下方的弧形区域。与内踝下方的髋关节对应区相对称（图50）。

适应症：髋关节疼痛、坐骨神经痛、腰背痛、髋关节脱臼、下肢瘫痪。

39. 淋巴（上身）

位置：位于双足外踝与腓骨、距骨间形成的凹陷部位（图51）。

适应症：各种炎症、发烧、囊肿、肌瘤、蜂窝组织炎、流行性腮腺炎，同时有增强免疫力、抗癌作用。

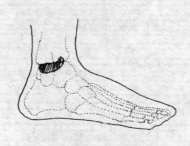

图50　髋关节

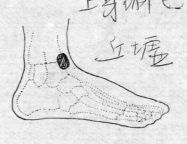

图51　淋巴（上身）

42. 平衡器官（内耳迷路）

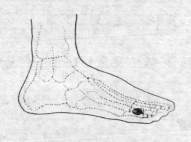

图52　平衡器官

位置：双侧足背，第4、5趾蹼至第4、5跖趾关节间（图52）。

适应症：头晕、眼花、晕车船、高血压、低血压、耳鸣、内耳眩晕、昏迷、平衡障碍、小脑萎缩、美尼尔氏综合征。

43. 胸

位置:双侧足背第 2、3、4 跖骨所形成的区域(图 53)。

适应症:乳腺炎、乳腺癌、乳腺增生、经前乳房胀痛、胸闷、胸痛、肋间神经痛、食道疾患。

44. 横隔膜

位置:双侧足背,第 1～5 跖骨与楔骨、骰骨之间,横跨足背的带状区(图 54)。

适应症:呃逆、膈疝引起的腹部膨胀、腹痛、恶心、呕吐。

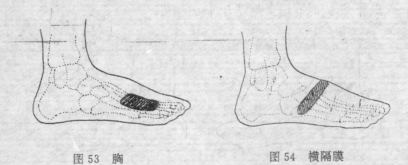

图 53　胸　　　　　　　　图 54　横隔膜

58. 坐骨神经

位置:双足外侧,沿跟骨结节后方外侧呈一带状区域(图 55)。

适应症:坐骨神经痛、尾骨受伤后遗症、尾骶部痛。

59. 肩胛

位置:双侧足背,第 4、5 跖骨间延伸到骰骨处稍向两侧分开的带状区域(图 56)。

适应症:肩胛部疼痛、肩背酸痛、肩关节痛、肩周炎、肩关节扭伤、肩关节风湿、上肢瘫痪。

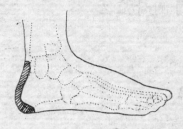

图 55　坐骨神经

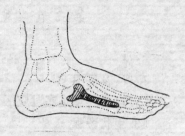

图 56　肩胛

60.肘关节

位置:双足外侧,第 5 跖骨粗隆处(图 57)。

适应症:肘关节疼痛、风湿、外伤及上肢瘫痪。

61.肋骨

位置:外侧肋骨对应区位于骰骨、舟骨与距骨之间(图 58),内侧肋骨(图 81)。

适应症:胸痛、胸闷、肋软骨炎、肋间神经痛。

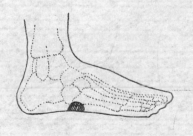

图 57　肘关节

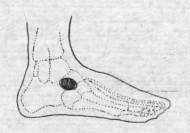

图 58　肋骨

第三节　足内侧对应区

6. 鼻

位置:参见图17。

适应症:参见足底对应区,鼻。

13. 甲状旁腺

位置:参见图23。

适应症:参见足底对应区,甲状旁腺。

24. 膀胱

位置:参见图34。

适应症:参见足底对应区,膀胱。

38. 髋关节

位置:内踝下方的弧形区域。与外踝下方的髋关节对应区相对称(图59)。

适应症:参见足底对应区,髋关节。

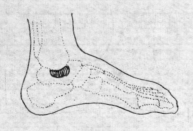
图59　髋关节

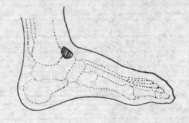
图60　淋巴(腹部)

40. 淋巴(腹部)

位置:双足内踝与胫骨前肌腱之间形成的凹陷处(图

60）。

适应症：各种炎症、发烧、踝部肿胀、囊肿、子宫肌瘤、蜂窝组织炎，有增强免疫力及抗癌作用。

49.腹股沟

位置：双足内踝上方凹陷处，即腹部淋巴对应区上方约1cm 处（图 61）。

适应症：生殖系统疾患、疝气、阳痿、早泄、性冷淡。

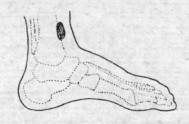 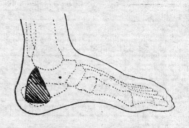

图 61　腹股沟　　　　　　　图 62　子宫、前列腺

50.子宫、前列腺

位置：双足跟骨内侧，内踝后下方的似三角形区域（图62）。

适应症：前列腺肥大、尿频、尿道疼痛、血尿、子宫肌瘤、子宫发育异常、子宫脱垂、宫颈炎、痛经、崩漏。

51.阴茎、阴道、尿道

位置：双足内侧，自膀胱对应区斜向后上方延伸，经距骨，止于内踝后下方（图63）。

适应症：尿道炎、泌尿系感染、尿频、尿失禁、遗尿、排尿困难、前列腺炎、前列腺肥大。

52.肛门、直肠

位置:从内踝后方,沿着胫骨内侧后方与趾长屈肌腱之间向上延伸4横指的一条带状区域(图64)。

适应症:痔疮、便秘、直肠炎、痔漏、肛裂、脱肛。

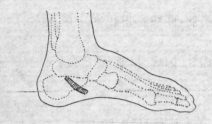

图 63　阴茎、阴道、尿道

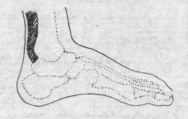

图 64　肛门、直肠

53.颈椎

位置:双足蹬趾根部内侧横纹头处(图65)。

适应症:颈项强痛、颈椎骨质增生、颈椎病。

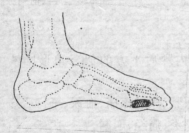

图 65　颈椎

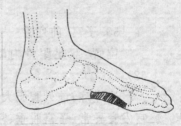

图 66　胸椎

54.胸椎

位置:足弓内侧缘,跖骨下方,从第1跖趾关节至第1楔骨前(图66)。

适应症:背部酸痛、胸椎间盘突出、胸椎骨质增生及其他胸椎疾患。

55.腰椎

位置：足弓内侧缘，第1楔骨至舟骨。上接胸椎对应区，下连骶骨对应区（图67）。

适应症：腰痛、腰椎间盘突出、强直性脊椎炎、腰椎骨质增生及其他腰椎病变。

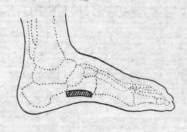

图67　腰椎

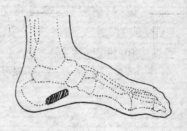

图68　骶骨

56.骶骨

位置：足弓内侧缘，起于舟状骨后方，经距骨下方，至跟骨前缘（图68）。

适应症：坐骨神经痛、骶骨骨刺、骶椎外伤。

57.尾骨

位置：足跟骨内侧，沿跟骨结节后方内侧呈L形带状区域（图69）。

适应症：坐骨神经痛、尾骨外伤后遗症。

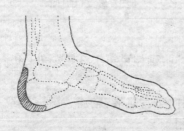

图69　尾骨

第四节　足背部对应区

39.淋巴(上身)

位置、适应症:参见足外侧对应区,淋巴(上身)(图 70)、(图 51)。

40.淋巴(腹部)

位置、适应症:参见足内侧对应区,淋巴(腹部)(图 71)、(图 60)。

图 70　淋巴(上身)　　　　　　图 71　淋巴(腹部)

41.淋巴(胸部)

位置:足背,位于第1、2跖骨间,延伸至第1、2趾蹼处(图72)。

适应症:各种炎症、发烧、囊肿、子宫肌瘤、胸痛、乳房或胸部肿瘤。可增强免疫力、抗癌作用。

42.平衡器官(内耳迷路)

位置、适应症:参见足外侧对应区,平衡器官(内耳迷路)(图73)、(图52)。

43.胸

位置、适应症:参见足外侧对应区,胸(图74)、(图53)。

图72　淋巴(胸部)　　　图73　平衡器官　　　图74　胸

44.横隔膜

位置、适应症:参见足外侧对应区,横膈膜(图75)、(图54)。

图75　横隔膜　　　　　　　图76　扁桃腺

45. 扁桃腺

位置:足背蹰趾近端趾骨、蹰长伸肌腱的两侧(图76)。

适应症:咽痛、感冒、扁桃腺炎。

46. 下腭　　47. 上腭

位置:足背,蹰趾,趾间横纹前方一条横行带状区为上腭,后方一条横行带状区为下腭(图77、78)。

适应症:牙痛、牙周炎、下颌关节炎、打鼾、味觉障碍、口腔发炎、口疮。

48. 喉、气管、声带

位置:喉与声带位于足背第1跖趾关节的外侧;气管位于第1跖骨体外侧(图79)。

适应症:咽炎、喉痛、咳嗽、气喘、气管炎、上呼吸道感染、声音嘶哑、失音。

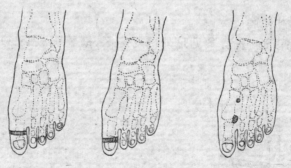

图 77　下腭　　图 78　上腭　　图 79　喉、气管、声带

49. 腹股沟

位置、适应症:参见足内侧对应区,腹股沟(图80)、(图61)。

61. 肋骨

位置、适应症：参见足外侧对应区，肋骨（图 81）、（图 58）。

图 80　腹股沟

图 81　肋骨

第四章　足部识病法

人体组织器官发生疾病时,可以从足部对应区出现的异常现象,通过问诊、视诊和足部对应区探查等手段,诊断疾病的方法,称之为足部识病法。

第一节　问　　诊

问诊是对病情进行一番调查了解的工作,通过医生与病人或病人家属的谈话,借以了解疾病的演变情况以及病员的生活居处,周围环境等,从而为诊断疾病提供更多的资料。所以在《灵枢·师傅》篇中说:"入国问俗,入家问讳,上堂问礼,临病人问所便。"说明进一个国家的国境时,先要了解当地的风俗;到人家里去,也必须了解他家有什么忌讳;在人家家里登堂入室更要问明应有的礼节;医生临证时,同样应问清楚,对于病人最适合的是哪一种治疗措施。现将问诊的主要方面介绍如下:

1. 问发病及病情变化情况:就是要了解病情的开始和转变,能给我们一种初诊印象,如发病即见头痛、恶寒、发热的,大都病在体表;若起病即是腹痛、吐泻、手足厥冷的,这是病变在里。

2. 问寒热:询问寒热,可以辨别病情的表里、虚实。例如,起病即见发热无汗、头痛身痛者,大都是外感风寒,病邪在体表;如见发热有汗不解、口渴、便秘、尿赤者,多为实热,病邪在里。

3.问汗:询问汗的情况。主要注意有汗无汗、汗的多少及汗出时间等。如表证无汗是为表实,有汗是为表虚;假如汗出恶寒止而热不退的,是病向里发展。

4.问头、身、胸、腹:若头痛无休止,兼发热恶寒者为外感病;头时痛时止者为内伤头痛;一身酸痛,兼表证为外感;痛在关节或游走不定者为风湿痹证;手足麻木兼气短乏力者为气虚;腰部酸、冷痛的是肾阳虚;腰痛无冷感,兼有咽干、耳鸣者是肾阴虚;胸膈满闷者多属肝气郁滞;胸痛、咳嗽者多为肺气不畅;胸痛彻背,背痛彻心者为胸痹;胁部胀痛者为肝气不舒;胁肋刺痛为瘀血;右胁下痛者为病在肝胆;左胁下痛者为病在脾。腹痛喜按者为虚证,腹痛拒按者为实证;腹部喜热为寒证,腹部喜凉者为热证;久痛多为虚,暴痛多为实;饥则痛甚,时吐清水,肚大胀急或兼有吐出蛔虫者为虫积。

5.问耳、口渴:若突然耳聋多属实证,为肝胆之火上炎;久聋属虚证,为肝肾阴虚;耳鸣渐及耳聋、耳中作响者为风热;耳中蝉鸣者为阴虚;流脓作胀者为肝经湿热。口干渴能饮者为胃中有火,不能饮或少饮的为胃中有湿;渴喜凉饮者为阴虚胃热;渴喜热饮者为胃寒;口干不欲饮者为阴虚;口渴饮水不多者为湿热。

6.问饮食,二便:若多食而饥者为胃中有热;饮食减退者为脾胃虚弱;饥不欲食,嘈杂气逆,口干唇燥者为胃阴不足;食后胃痛减轻者为虚证,多为脾胃虚;食后疼痛加重者为实证;能食而食后胀满者为胃强脾弱;喜热食者为胃寒,喜冷食者为胃热;食后即吐者为热证;朝食暮吐者为寒证;孕妇见食恶心者为妊娠恶阻;口苦为肝胆有火;口甘为脾胃有湿热;口酸为肝胃不和;口咸为肾虚精冷;口淡涎清为胃寒。大便干燥或稠粘臭者多属实热;大便稀薄,泄泻不止或清彻腥臭者多为虚寒。小便黄赤为热,清白为寒;浑浊而不爽者为湿热;尿频而不尽者为虚证;尿频量少而口渴多饮者为消渴;小便淋漓茎中痛者为淋证;痛而血尿者则为血淋;尿有砂石者为石淋;小便不通者为癃闭证。

7. 问经、带、胎产:月经期赶前,血色鲜红者属热;经期延后,血色紫黑者为寒;经血量少,色淡者为虚;经前腹痛,经量涩少,挟瘀者属气滞。白带多而稀薄,气味腥秽者为虚寒;带色黄赤而稠粘、味臭者为湿热。平素月经正常的妇女,婚后若经停不来,继见呕吐、择食者为属妊娠;产后腹痛、恶露不下,则属瘀血腹痛。

问诊内容很多,仅概要介绍如上,可作为足部识病法的参考。

第二节 视　　诊

视诊又称望诊,其内容包括观察病人的精神、气色、形态、五官、舌质与舌苔。祖国医学在长期的医疗实践中认识到,人体的外部形态是和内脏活动有着密切联系的。因此,通过外部的望诊可以诊察出人体的病变。视诊所见只不过是疾病变化的外在现象,临床诊病时只能把这些现象作为诊断疾病的向导,还必须进一步结合其他诊病方法,才能抓住疾病的本质,把握整体病变。

1. 视精神:人的精神状态,与机体的机能活动有密切关系。因此,观察病人的精神状态变化,可以概括地得知机体正气的盛衰和疾病的轻重。正常人的表现则是精神饱满,目光烔炯，言语明朗，呼吸均匀，此谓"有神"。与此相反，精神萎靡，目光暗淡，言语无力，反应迟钝者，谓之"失神"，象征着正气已伤，病情严重。故有"得神者昌，失神者亡"的说法。

2. 视气色：气色是指面部和全身皮肤颜色而言。机体皮肤是经络的密布之处，其血脉丰富，为脏腑气血之外荣。因此，脏腑经络发生病变时，可以从气色上表现出来。

临床上一般把色分为青、赤、黄、白、黑5种。青主肝，赤主心，黄主脾，白主肺，黑主肾。正常人的气色是光泽红润。如出现青色为主风、主寒、主痛，小儿面部色青，为小儿急惊风或痰喘重证；青黑为寒为痛。赤色主心血，多为热证，或肝火上逆，或阳明高热；若两颧潮红，多为阴虚火旺。黄色主脾病，色如橘皮明亮者为阳黄，色黄晦暗如烟熏的属阴黄。白色主肺病，多属虚寒症，㿠白为气虚、阳虚；白而枯槁者为血虚。黑主肾病，多属水气，主寒证或瘀血之证。此外，目赤肿痛为暴发火眼；目窝浮肿，色光亮者，为水肿病初起。耳轮干枯色黑者，为肾阴亏极；唇红为热，唇白为血虚，青紫则为气血凝滞。

3. 视形态：临床上观察病人的形态、动作和肢节变化等，对于诊断疾病是有一定意义的。形体坚实，活动自如，则象征着正气充盈。若形体肥胖，多属痰湿或气虚；形体瘦弱，多属阴虚；手足屈伸困难，或肢节肿痛为痹证；抽搐痉挛者为肝风；半身不遂者则为中风后遗症；弯腰按腹，多为腹痛；小儿囟门下陷，多为先天不足或腹泻日久。

此外，指甲（趾甲）是筋之余，为肝之所主。若爪甲脆裂，枯燥无光或变形者为肝病；爪甲色白是血虚；爪甲色紫是瘀血；爪甲青黑者多为重证。

4. 视五官：若目上视或斜视，除先天性之外，多为惊风痉厥，肝风内动之症；巩膜黄色为黄疸；鼻翼煽动者为肺热；耳轮凉及耳背有红色络脉者是小儿将要出疹子的预兆;口唇红肿者是脾热已极;口唇鲜红者为阴虚火旺;口唇焦干者是内有积热。

5.视舌质与舌苔:观察舌质和舌苔是中医诊断的一个主要方法之一,也是视诊中最重要的组成部分。

舌为心之苗窍,脾肺肝胃无不系根于心。因此,十二经脉之气皆与舌通,视舌诊病,须分舌质与舌苔两个部分,辨舌质可测知五脏六腑的寒热虚实;验舌苔可判断六淫之深浅。

全舌面可分4个区域,以分属脏腑,舌尖为心肺,舌根为肾,舌中属脾胃,舌边则属肝胆。这对诊察脏腑的病变是有一定参考价值的,可作为足部识病的参考。

6.视足部:首先要注意观察患者的双足是否畸形,有无丘疹、皮肤颜色的改变、静脉曲张、鸡眼、趾间足癣、局部硬茧等等。如出现上述变化,就标志着身体某个部位发生异常改变。我们可以从以下3个方面进行观察:

(1)视皮肤状态

一般人的足部皮肤都较粗糙,足部的皮肤也是人体健康的一面镜子。足部皮肤出现异常或变形,就表示该部位的对应区的内脏和器官发生病变。如肺对应区出现了鸡眼或脚垫等异物,这说明肺功能有些异常;左足第五趾的跖骨关节部位出现鸡眼,就说明肩部有损伤;右足第2和第3趾间的鸡眼,说明右眼有障碍等等。

视诊能了解到皮肤的异常状态有:鸡眼、皲裂、足癣、龟裂、趾间疣、外伤、水疱、烫伤、静脉瘤、结节、丘疹、色素沉着、凹陷、脱屑、充血、厚茧、水肿、脓疮、溃疡、角质化、瘢痕、皮肤发红、出汗等。其他还有趾甲变形、变色等。一般正常趾甲应是粉红色,坚韧呈弧状,带有光泽,表面光滑,压迫其尖端,放开后血色立刻恢复。若趾甲异常,说明体内有一定的病变。如趾甲弯曲,则表明体内出现了恶性肿瘤;若趾甲出现向后仰起,则表明该人嗜酒如命;若趾甲平坦,按后不能立刻出现血色,半圆部分较小,则表明患有心脏病;若趾甲出现纵纹,则表现该人过度疲劳,生活无规律性,并有神经病症和呼吸器官病症;若趾甲出现横向梯纹,表明该人患病前后的时间。

趾甲上的"半月板"(半月板是指趾甲根部泛白色呈半月形的部分)也能表示人体的健康状况。正常"半月板"的腰部高度约为全趾甲长的 1/5。若其"半月板"的腰部高度大于全趾甲长的 1/5 时,表示该患者有心脏疾病,高血压病;若其"半月板"的腰部高度小于全趾甲长的 1/5 时,则表示该人患有贫血病。

(2)视组织状态

足与人体有密切关联,当人体有病时,足部组织就会表现出来,如足部水肿或充血,一般多出现于足踝部、跟腱以及足背趾关节部分。这些部位也是盆腔和胸廓上部脏器的反应区。

踝部周围的水肿一般多由肾脏、心脏或循环系疾病所引起,这类患者往往可因为静脉、动脉、淋巴管、神经系统或内分泌系统障碍引起盆腔充血,并多伴有循环系统不正常,往往可以发现在左右足背的趾根部有小的脂肪块。

(3)视骨骼状态。

足部骨骼支撑人体的重量,如果人体这些骨骼有异常变化,也会引起全身的不适。

扁平足对肩部和循环系统有影响,右扁平足对胆道、胆囊有影响;左扁平足对心脏有影响。扁平足也常常对脊柱有影响。

踇趾外翻症对甲状腺和颈椎对应区有影响。

踇趾和其他足趾变形,则头部与牙齿的对应区常有异常。趾甲患真菌病或其形状、组织异常,会影响头部对应区。内外踝骨扭伤或充血与盆腔和髋关节的异常有关。

第三节　足部探查

足部探查,分为全足探查法和系统探查法两种。全足探查法是对全足部对应区逐一进行触压,检查病人各个部位的组织器官哪些有病变,哪些组织器官属于正常。一般需要一个小时左右时间才能检查完毕。系统探查是根据病人述说的症状来探查某个系统或有关系统的对应区,一般只需 10 分钟左右时间。

具体探查方法如下:

1.首先让病人坐在椅子上或仰卧于床上,将足放在医生的双膝上,或高度相同的凳子上,足心朝向对面的医生。

2.医生右手持检诊器(图 82),左手固定住病人的足部,

图 82　检诊器

检诊器的一端为半径 2mm 的圆头,用来触压患者的对应区,另一端半径为 4mm 的圆头,放于医生的掌心,踇趾及食指伸展放于检诊器器械体的前方,其余三指屈曲放于检诊器器械

体的后方,来更好地固定检诊器,如图(83)。

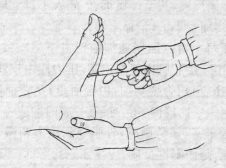

图 83 检诊器持法

3. 医生将检诊器垂直对准对应区皮肤进行触压,如(图84),若触压呈现针刺样疼痛反应,证明该对应区相应组织器

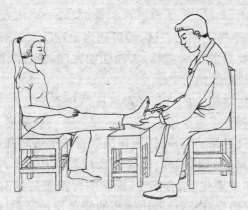

图 84 检诊方法

官已发生病变;反之,用检诊器触压时,未出现针刺样疼痛反应,则说明该对应区相应组织器官功能正常,未发生病变。实

践中发现,当疾病严重时,检诊器刚接触对应区皮肤时,就出现针刺样疼痛反应,甚至疼痛难忍,病人不自觉地用手推开检诊器,或说疼痛受不了,请停止操作等等。

在触压每个对应区所施加的压力不尽一致,大约为 0.5～1kg 范围内。足底肌肉组织丰满,压力应由皮肤表层传到深层,需要重压,但压力要均匀,由轻而重;足背面和足内、外侧面的肌肉组织层比较薄,压力接近骨膜时即应停止(因为骨膜的神经比较丰富,知觉敏感,骨膜受到压力刺激,也引起针刺样疼痛反应,是假阳性反应,应该注意)。

检诊时,每个对应区需要检诊的触压点时,应根据对应区的范围大小而定,大的对应区范围可选 10 个点左右(压诊点这么多并不一定每个点都有针刺样疼痛反应,有一个点出现针刺样疼痛反应,这个痛点的对应区即可选为治疗区),小的对应区范围,可选 3～4 点进行压诊点(有一点出现针刺样疼痛反应,这个痛点的对应区,即可选为治疗区)。针刺样疼痛反应是足部检诊的唯一指标,实践证明钝痛、麻、胀、酸等感觉,不宜作为诊断的指标。

4.医生对病人的一只足部对应区探查完毕后,立即将探查中有针刺样疼痛反应的反应区,逐一书写在病志上,然后再检查另一只足部的反应区,同样把探查结果书写在病志上。最后将探查结果,把有针刺样疼痛反应的对应区,加以系统归纳、组合和条理化,结合问诊、视诊中所搜集到的有关疾病的材料,进行综合分析,诊断出疾病的病名及足部对应区的治疗处方,然后再进行治疗。

例如,足部对应区检诊法,在作全身检查时,如发现 2(额窦)、24(脾脏)、39(上身淋巴)、40(下身淋巴)、41(胸部淋巴)等 9 个反应区,均出现针刺样疼痛反应,即可疑为某组织器官发生癌症;额窦对应区有2个以上点有针刺样疼痛反应者,可疑为某组织器官发生肿瘤或增生病等。我们在检诊中曾发现病人有上述情况者,经医院检查,其结果与我们的诊断一致。因此,本法可供作肿瘤早期鉴别诊断的一种方法。因为这种检查方法全面、系统、方便、可靠,即不受条件限制,也不需要特殊设备,只要有房屋一间,靠背椅子两把,即可开展这项工作,可作为普查疾病和治疗疾病的一种方法。

5.探查法的注意事项:这种检诊法在诊查疾病时方便、可靠、易于掌握,但必须注意以下几点:

(1)检诊前,先向病人说明触压对应区时,若出现轻度的或重度的针刺样疼痛反应,应说有痛感(疾病的反应),其他如麻、胀、酸以及钝痛的感觉,均属无痛(无病反应),以此来区分患病的部位。

(2)医生在探查时,右手持检诊器时方法要正确,触压时手法轻重要适宜,否则检查结果不确切。左手固定病人的足部时,要使检诊的对应区暴露要充分,有些对应区在触压时容易移动部位,应在背面或相对面扶持固定,保证触压检诊时的准确性。

(3)在探查时,每个反应区要重复2~3次,对有针刺样疼痛反应的反应区,重复压诊时,使用的压力前后要一致。同时注意病人的足部疼痛反应,如足部收缩或摆动,面部表情反应为难受或痛苦面容等。

(4)在探查时,要边检查,边询问,边说明,让病人了解自己的病情。如检查12(甲状腺),出现针刺样疼痛反应,可询问病人近来是否消瘦,疲乏无力,易激动,烦躁不安,多汗,心跳加快等等,如有这样表现,可疑为甲状腺机能亢进,然后检查甲状腺是否肿大、粘连、疼痛等,即可诊断。

（5）经探查怀疑某一脏腑器官有病时，本法又不能确诊时，可告诉病人到有关医院作特殊检查（X光、CT、B超）后，再考虑是否进行足部治疗。

（6）经过1个疗程治疗后，要进行复查。复查时如针刺样疼痛消失，显示疾病治愈，并询问病人自我感觉情况来判定。相反，经过1个疗程治疗后，复查时针刺样疼痛反应并没有消失，则应继续进行足部治疗。同时还要根据病情和疗效情况，适当调整对应区，以加速疾病的治愈。

（7）医生对经医院已经检查过的病人，已经确诊的疾病，一般只要复查疾病相应的对应区即可。如经医院确诊的病人患的是结肠炎，可以检查消化系统的所有对应区，即15（胃）、16（十二指肠）、17（胰腺）、18（肝脏）、19（胆囊）、25（小肠）、26（盲肠及阑尾）、27（回盲瓣）、28（升结肠）、29（横结肠）、30（降结肠）、31（直肠）、32（肛门）等13个对应区。检查结果与医院诊断一致，可配对应区进行治疗；如果反应点不一致，除按上述对应区治疗外，再加上新的对应区治疗疾病。

第五章 足部经络与腧穴

第一节 足部经络

　　足部是足三阴、足三阳经脉循行、分布之处。足三阴经起于足，足三阳经止于足。足阳明经脉止于足次趾的外侧端，其支脉进入足大趾和足三趾；足太阳经脉经足外侧赤白肉际，止于足小趾外侧趾甲角旁；足少阳经脉行于足背外侧，止于足四趾外侧端，其支脉斜入足大趾。足三阴经脉分别受与其相表里的阳经之交，分别起于足大趾的内侧、外侧和足底部，上行于足内侧赤白肉际、足背和足底部等部位。《素问·厥论》篇中说："阳气起于足五趾之表，阴气起于足五趾之里。"阐明了足与周身阴阳经络的密切联系。足也是足三阴、足三阳经脉的根部、本部所在部位，其经脉的五输穴也多分布于足，这些腧穴都可用于治疗远隔部位的头、面、五官、脏腑、躯干的病证，或对全身的某些机能状态起到调整作用，并可收到较为显著的疗效。

第二节 足部经穴

一、足阳明胃经的足部腧穴（图 85）

1. 解溪

定位　在足背与小腿交界处的横纹中央凹陷中,当跚长伸肌腱与趾长伸肌腱之间。

主治　头痛,眩晕,癫狂,腹胀,便秘,下肢痿痹。

操作　直刺 0.5～1 寸。

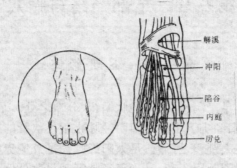

图 85　胃经穴(足部)

2.冲阳

定位　在足背最高处,当跚长伸肌腱与趾长伸肌腱之间,足背动脉搏动处。

主治　口眼㖞斜,面肿,齿痛,癫狂痫,胃痛,足痿无力。

操作　避开动脉,直刺 0.3～0.5 寸。

3.陷谷

定位　在足背,当第 2、3 跖骨结合部前方凹陷处。

主治　面浮身肿,目赤肿痛,肠鸣腹痛,热病,足背肿痛。

操作　直刺或斜刺 0.5～1 寸。

4.内庭

定位　在足背,当第 2、3 趾间,趾蹼缘后方赤白肉际处。

主治　齿痛,咽喉肿痛,口㖞,鼻衄,胃痛吐酸,腹胀、泄泻,痢疾,便秘,热病,足背肿痛。

操作　直刺或斜刺 0.5～0.8 寸。

5.厉兑

定位　在足第2趾末节外侧,距趾甲角0.1寸。

主治　衄𪗋,齿痛,咽喉肿痛,腹胀,热病,多梦,癫狂。

操作　浅刺0.1寸。

二、足太阳膀胱经的足部腧穴(图86)

1.昆仑

定位　在足部外踝后方,当外踝尖与跟腱之间的凹陷处。

主治　头痛,项强,目眩,鼻衄,癫痫,难产,腰骶疼痛,脚跟肿痛。

操作　直刺0.5～0.8寸。

2.仆参

定位　在足外侧部,外踝后下方,昆仑直下,跟骨外侧,赤白肉际处。

主治　下肢痿痹,足跟痛,癫痫。

操作　直刺0.3～0.5寸。

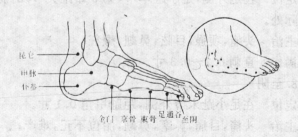

图86　膀胱经穴(足部)

3.申脉

定位　在足外侧部,外踝直下方凹陷中。

主治　头痛,眩晕,癫狂病,腰腿酸痛,目赤痛,失眠。

操作　直刺 0.3～0.5 寸。

4. 金门

定位　在足外侧,当外踝前缘直下,骰骨下缘处。

主治　头痛,癫痫,小儿惊风,腰痛,下肢痿痹,外踝痛。

操作　直刺 0.3～0.5 寸。

5. 京骨

定位　在足外侧,第 5 跖骨粗隆下方,赤白肉际处。

主治　头痛,项强,目翳,癫痫,腰痛。

操作　直刺 0.3～0.5 寸。

6. 束骨

定位　在足外侧,足小趾本节(第 5 跖趾关节)的后方,赤白肉际处。

主治　头痛,项强,目眩,癫狂,腰腿痛。

操作　直刺 0.3～0.5 寸。

7. 足通谷

定位　在足外侧,足小趾本节(第 5 跖趾关节)的前方,赤白肉际处。

主治　头痛,项强,目眩,鼻衄,癫狂。

操作　直刺 0.2～0.3 寸。

8. 至阴

定位　在足小趾末节外侧,距趾甲角 0.1 寸。

主治　头痛,目痛,鼻塞,鼻衄,胎位不正,难产。

操作　浅刺 0.1 寸。胎位不正用灸法。

三、足少阳胆经的足部腧穴(图 87)

1. 丘墟

定位　在足外踝的前下方,当趾长伸肌腱的外侧凹陷中。

主治　胸胁胀痛,下肢痿痹,疟疾。

操作　直刺 0.5～0.8 寸。

2.足临泣

定位　在足背外侧,当第 4 趾本节(第 4 跖趾关节)的后方,小趾伸肌腱的外侧凹陷处。

主治　目赤肿痛,胁肋疼痛,月经不调,遗尿,乳痈,瘰疬,疟疾,足跗疼痛。

操作　直刺 0.3～0.5 寸。

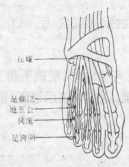

图 87　胆经穴(足部)

3.地五会

定位　在足背外侧,当足 4 趾本节(第 4 跖趾关节)的后方,第 4、5 跖骨之间,小趾伸肌腱的内侧缘。

主治　头痛,目赤,耳鸣,胁痛,乳痈,内伤吐血,足背肿痛。

操作　直刺 0.3～0.5 寸。

4.侠溪

定位　在足背外侧,当第 4、5 趾间,趾蹼缘后方赤白肉际处。

主治　头痛,目眩,耳鸣,耳聋,目赤肿痛,胁肋疼痛,热病,乳痈。

操作　直刺 0.3～0.5 寸。

5.窍阴

定位　在足第 4 趾末节外侧,距趾甲角 0.1 寸。

主治　头痛,目赤肿痛,耳聋,咽喉肿痛,热病,失眠,胁痛,咳逆,月经不调。

操作　浅刺 0.1 寸,或点刺出血。

四、足太阴脾经的足部腧穴(图 88)

1.隐白

定位　在足大趾末节内侧,距趾甲角 0.1 寸。

主治　腹胀,便血,尿血,月经过多,崩漏,癫狂,多梦,惊风。

操作　浅刺 0.1 寸。

2.大都

定位　在足内侧缘,当足大趾本节(第 1 跖趾关节)前下方赤白肉际凹陷处。

主治　腹胀,胃痛,呕吐,泄泻,便秘,热病。

操作　直刺 0.3～0.5 寸。

3.太白

定位　在足内侧缘,当足大趾本节(第 1 跖趾关节)后下方赤白肉际凹陷处。

主治　胃痛,腹胀,肠鸣,泄泻,便秘,痔漏,脚气,体重节痛。

操作　直刺 0.5～0.8 寸。

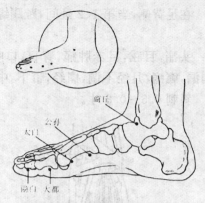

图 88　脾经穴（足部）

4.公孙

定位　在足内侧缘,当第 1 跖骨基底的前下方。

主治　胃痛,呕吐,腹痛,泄泻,痢疾。

操作　0.6～1.2 寸。

5.商丘

定位　在足内踝前下方凹陷中,当舟骨结节与内踝尖连线的中点处。

主治　腹胀,泄泻,便秘,黄疸,足踝痛。

操作　直刺 0.5～0.8 寸。

五、足厥阴肝经的足部腧穴（图 89）

1.大敦

定位　在足大趾末节外侧,距趾甲角 0.1 寸。

主治　疝气,遗尿,经闭,崩漏,阴挺,癫痫。

操作　斜刺 0.1～0.2 寸,或点刺出血。

2.行间

定位　在足背侧,当第1、2趾间,趾蹼缘的后方赤白肉际处。

主治　头痛,目眩,目赤肿痛,青盲,口㖞,胁痛,疝气,小便不利,崩漏,癫痫,月经不调,痛经,带下,中风。

操作　斜刺0.5～0.8寸。

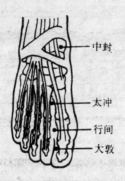

图89　肝经穴(足部)

3.太冲

定位　在足背侧,当第1跖骨间隙的后方凹陷处。

主治　头痛,眩晕,目赤肿痛,口㖞,胁痛,遗尿,疝气,崩漏,月经不调,癫痫,呕逆,小儿惊风,下肢痿痹。

操作　直刺0.5～0.8寸。

4.中封

定位　在足背侧,当足内踝前,商丘与解溪连线之间,胫骨前肌腱的内侧凹陷处。

主治　疝气,遗精,小便不利,腹痛。

六、足少阴肾经的足部腧穴（图 90）

1. 涌泉

定位　在足底部，卷足时足前部凹陷处，约当足底 2、3 趾间纹头端与足跟连线的前 1/3 与后 2/3 交点上。

主治　头痛，头昏，失眠，目眩，咽喉肿痛，失音，便秘，小便不利，小儿惊风，癫狂，昏厥。

操作　直刺 0.5～1 寸。

2. 然谷

定位　在足内侧缘，足舟骨粗隆下方，赤白肉际处。

主治　月经不调，带下，遗精，消渴，泄泻，咳血，咽喉肿痛，小便不利，小儿脐风，口噤。

操作　直刺 0.5～1 寸。

3. 太溪

定位　在足内侧，内踝后方，当内踝尖与跟腱之间的凹陷处。

主治　月经不调，遗精，阳痿，小便频数，便秘，消渴，咳血，气喘，咽喉肿痛，齿痛，失眠，腰痛，耳聋，耳鸣。

操作　直刺 0.5～1 寸。

4. 大钟

定位　在足内侧，内踝后下方，当跟腱附着部的内侧前方凹陷处。

主治　癃闭，遗尿，便秘，咳血，气喘，痴呆，足跟痛。

操作　直刺 0.3～0.5 寸。

5. 水泉

定位　在足内侧，内踝后下方，当太溪直下 1 寸，跟骨结节的内侧凹陷处。

主治　月经不调,痛经,经闭,阴挺,小便不利。

操作　直刺 0.3～0.5 寸。

6. 照海

定位　在足内侧,内踝尖下方凹陷处。

主治　月经不调,带下,阴挺,小便频数,癃闭,便秘,咽喉干痛,癫痫,失眠。

操作　直刺 0.3～0.5 寸。

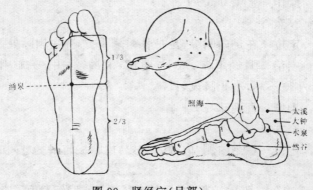

图 90　肾经穴(足部)

第三节　足部奇穴

奇穴,全称为"经外奇穴"。指在十四经腧穴之外的经验效穴。早在《内经》中就有部分记载,以后《肘后方》、《千金方》、《外台秘要》等书记载更多,《针灸大成》等书专列经外奇穴一门。现将足部常用经外奇穴简介如下。

1. 内踝前下

定位　内踝下缘中点向前一横指处(图 91)。

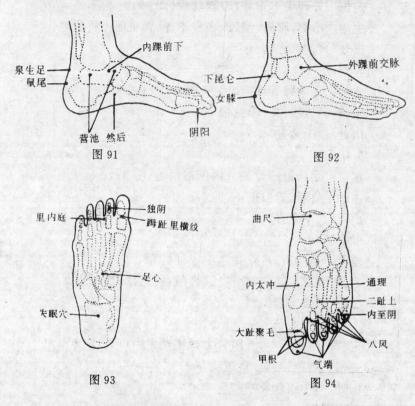

图 91

图 92

图 93

图 94

主治　翻胃吐食。

出处　《针灸集成》。

2. 外踝前交脉

定位　足背踝关节部,当内、外踝高点连线的中、外 1/4 交点处(图92)。

主治　牙痛。

出处　《针灸孔穴及其疗效便览》。

3. 下昆仑

定位　外踝尖下1寸,跟腱前缘(图92)。

主治　冷痹,腰痛,偏风,半身不遂,脚重痛不得履地。

出处　《圣惠方》。

4. 营池

定位　足内踝下缘前、后方之凹陷处(图91)。

主治　月经过多,赤白带下。

出处　《千金方》。

5. 阴阳

定位　足踇趾趾骨关节内侧横纹处(图91)。

主治　昏厥,赤白带下,泄泻。

出处　《千金方》。

6. 女膝

定位　足后跟,当跟骨之中点处(图92)。

主治　吐泻,转筋,骨槽风,齿龈炎,惊悸,精神病等。

出处　《癸辛杂识》。

7. 泉生足

定位　跟腱正中,当跟骨上缘横纹之中点处(图91)。

主治　难产,腰痛,食道痉挛。

出处　《中国针灸学》。

8. 失眠穴

定位　足底跟部,当足底中线与内外踝连线相交处(图93)。

主治　失眠,脚底疼痛。

出处　《江苏中医》。

9. 鼠尾

定位　足跟中线,当跟骨上缘处(图91)。

主治　瘰疬。

出处 《疮疡经验全书》。

10. 曲尺

定位 足背内侧,内踝前下方,当胫骨前肌腱与踇长伸肌腱之间的凹陷处(图94)。

主治 少腹疼痛,遗精,疝气。

出处 《医心方》。

11. 通理

定位 足背,当第4、5跖骨间隙后端前0.5寸处(图94)。

主治 经血过多。

出处 《针灸集成》。

12. 然后

定位 足少阴肾经然谷穴后0.4寸处(图91)。

主治 消化不良。

出处 《经外奇穴治疗诀》。

13. 甲根

定位 足大趾背侧,趾甲弧形中点处(图94)。

主治 疝。

出处 《经外奇穴图谱》。

14. 大趾聚毛

定位 踇趾背侧,当趾骨关节部之趾毛中(图94)

主治 中风,不省人事,头痛,眩晕,疝气,睾丸炎。

出处 《肘后方》。

15. 踇趾里横纹

定位 踇趾掌侧,趾节横纹之中点处(图93)。

主治 疝气。

出处 《肘后方》。

16. 二趾上

定位　足阴阳胃经腧穴内庭与陷谷连线之中点处(图94)。

主治　水病。

出处　《类经图翼》。

17. 独阴

定位　足掌侧,第二跖趾关节横纹之中点处(图93)。

主治　女子呕哕,吐血,难产,死胎胎衣不下,小肠疝气,经血不调。

出处　《圣惠方》。

18. 足心

定位　足底中线,第2趾尖至足跟后缘连线之中点(图93)。

主治　崩漏,头痛,眩晕,癫痫,足底痛,休克。

出处　《千金方》。

19. 内太冲

定位　足背,踇长伸肌腱胫侧凹陷中,与太冲穴平(图94)。

主治　疝气上冲,呼吸不通。

出处　《针灸集成》。

20. 内至阴

定位　足小趾内侧,趾甲角内侧旁开0.1寸,与至阴穴内外相对(图94)。

主治　小儿惊风,晕厥,脏躁。

出处　《针灸学》。

21. 里内庭

定位　足底,第2、3趾趾缝间,与内庭穴相对处(图93)。

主治　小儿惊风，癫痫，足趾痛。

出处　《中国针灸学》。

22. 八风

定位　足背，各趾缝间，趾蹼缘上赤白肉际(图 94)。

主治　头痛，牙痛，毒蛇咬伤，脚背红肿，月经不调。

出处　《奇效良方》。

23. 气端

定位　十趾尖端(图 94)。

主治　脚气，足趾麻痹，足背红肿，急救。

出处　《千金方》。

第六章　足针疗法

足针疗法是针刺足部十四经腧穴以外的一些特定穴位，治疗全身疾病的一种针刺方法。足针疗法是针灸学的一个组成部分，也是以经络学说为基础，通过足与经脉、脏腑、气血的密切联系，刺激足部穴位，激发人体经气，以调整脏腑、组织、器官气血，达到扶正祛邪，治愈疾病的目的。足针疗法是在经络、经穴的基础上，在十四经腧穴之外，在足部又确定了一些新的刺激点，因而扩大了足部腧穴对全身病证的治疗范围。

足针疗法不仅对慢性胃肠、神志疾病有效，对急性疼痛、外感、心悸痛、眩晕等病证也有较好的治疗效果，具有适应症广，疗效显著，操作简便等特点。足针疗法对发掘祖国医学遗产，丰富针灸学内容，有一定的价值和贡献。

第一节　定位方法

为了定准穴位，以提高疗效，必须掌握好定位方法。

1.骨度分寸折量法(图 95、96)

(1)足跟后缘至中趾根部为 10 寸。

(2)足内、外踝高点至足底为 3 寸。

(3)足掌面第 1 跖趾关节内侧赤白肉际至第 5 跖趾关节外侧赤白肉际为 5 寸，足背部亦同此。

(4)足跟部最宽处距离为 3 寸。

不论男女、老少、高矮、胖瘦均可按上述标准量取。

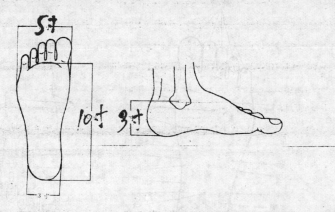

图 95 足底部骨度分寸折量图　图 96 足侧部骨度分寸折量图

2.自然标志定位法

该法即是根据人体足部的自然标志而定取穴位的方法。如趾横纹、趾尖端、跖趾关节、跖骨小头、趾缝端、内踝高点、外踝高点、舟骨粗隆等。如内踝高点直下 2 寸取痛经穴,足小趾第 1 趾横纹中点取遗尿穴。

第二节　足针穴位

根据现有资料,常用足针穴位有 39 个。其中分布在足底22穴,足背12穴,足内侧4穴,足外侧1穴。

一、足底部足针穴位(图 97)

1.头面

定位　距足跟后缘 1 寸,足底正中线上。

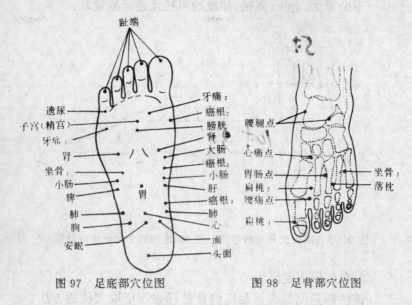

图 97　足底部穴位图

图 98　足背部穴位图

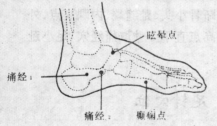

图 99　足内侧穴位图

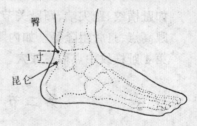

图 100　足外侧穴位图

主治　感冒、头痛、上额窦炎、鼻炎。

操作　直刺 0.3～0.5 寸。

2.安眠

定位　距足跟后缘 3 寸,足底正中线上。约当外踝与内踝在足底部连线的中点。

主治　失眠、癫狂、癔病、神经衰弱、低血压。

操作　直刺 0.3～0.5 寸。

3.胸

定位　距足跟后缘 3 寸,足底正中线外侧 1 寸处。即安眠穴外 1 寸。

主治　胸痛、胸闷、肋间神经痛。

操作　直刺 0.5～0.8 寸。

4.面

定位　安眠穴内侧旁开 1 寸。

主治　三叉神经痛、面瘫、面痒。

5.心

定位　距足跟后缘 3.5 寸,足底正中线上。

主治　高血压、心悸、心痛、咽喉肿痛、舌强、舌痛、失眠。

操作　直刺 0.3～0.5 寸。

6.肺

定位　心穴旁开 1.5 寸,左右各 1 穴。

主治　咳嗽、气喘、胸痛。

操作　直刺 0.3～0.5 寸,或斜刺 0.5～1.0 寸。

7.癌根$_3$

定位　距足跟后缘 4 寸,足底正中线内侧旁开 1.5 寸处,即内侧肺穴前 0.5 寸。

主治　对鼻、咽、颈、肺部及食道上、中段肿瘤有镇痛、解痉和改善症状作用。

操作　直刺 0.5～0.8 寸,或向内踝、足跟方向斜刺 0.8～1.2 寸。

8.胃

定位　距足跟后缘 5 寸,足底正中线上。

主治　胃病、呕吐、消化不良、失眠。

操作　直刺或斜刺 0.5～1.0 寸。

9. 肝

定位　胃穴内侧 2 寸处。

主治　急慢性肝炎、胆囊炎、肋间神经痛、目疾。

操作　直刺或向后斜刺 0.5～1.0 寸。

10. 脾

定位　胃穴外侧 1 寸处。

主治　消化不良、腹泻、尿闭、血液病、失眠。

操作　直刺或向内斜刺 0.5～1.0 寸。

11. 小肠

定位　距足跟后缘 5.5 寸，足底正中线旁开 1.5 寸处，左右各 1 穴。

主治　腹痛、腹泻、肠鸣、痢疾。

操作　直刺或斜刺 0.8～1.2 寸。

12. 癌根₁

定位　距足跟后缘 6 寸，足底正中线内侧旁开 2 寸处。

主治　对食道下段、胃、贲门等部位的肿瘤有镇痛和改善症状的作用。

操作　直刺 0.3～0.5 寸，或向内后透刺 0.8～1.2 寸。

13. 大肠

定位　距足跟后缘 6.5 寸，足底正中线内侧旁开 2 寸处。

主治　腹痛、呕吐、腹泻、痢疾。

操作　直刺 0.8～1.0 寸。

14. 肾

定位　涌泉穴内外各 1.5 寸处。

主治　头痛、眩晕、癫狂、尿闭、遗尿、腰痛。

操作　直刺或向涌泉穴斜刺 0.8～1.2 寸。

15.膀胱

定位　中趾根部后方 2 寸处,足底正中线上。

主治　尿闭、遗尿、尿失禁等。

操作　直刺或斜刺 0.8～1.2 寸。

16.子宫(精宫)

定位　中趾根部后方 1.5 寸,足底正中线上。

主治　月经不调,痛经,带下,尿闭,睾丸炎。

操作　直刺 0.5～0.8 寸。

17.癌根$_2$

定位　膀胱穴内侧旁开 2.5 寸。

主治　对脐以下的内脏肿瘤及淋巴转移癌有镇痛和改善症状的作用。

操作　直刺或向后斜刺 0.8～1.2 寸。

18.坐骨$_1$

定位　足 4 趾根部后 4 寸处。

主治　坐骨神经痛、腰痛、荨麻疹、肩痛。

操作　直刺或向后斜刺 0.5～1.0 寸。

19.牙痛$_1$

定位　足小趾根部后方 1 寸处。

主治　牙痛。

操作　直刺或向后斜刺 0.5～1.0 寸。

20.牙痛$_2$

定位　足踇趾、次趾间后 1 寸处。

主治　牙痛。

操作　直刺 0.5～1.0 寸。

21.遗尿

定位　足小趾第 1 趾横纹中点。

主治　遗尿、尿频。

操作　直刺或向后斜刺 0.3～0.5 寸。

22. 趾端(气端)

定位　两足十趾的尖端,距爪甲约 0.1 寸。

主治　中风昏迷、足趾麻木、脱疽、脚气。

操作　浅刺 0.1～0.2 寸,或用三棱针点刺出血。

二、足背部足针穴位(图 98)

1. 头痛点

定位　足背,第 2～4 趾趾关节内侧赤白肉际处。

主治　头痛。

操作　浅刺 0.1～0.2 寸。

2. 扁桃$_1$

定位　足大趾上,踇长伸肌腱内侧,距趾关节处。

主治　急性扁桃体炎、流行性腮腺炎、湿疹、荨麻疹。

操作　浅刺 0.2～0.3 寸。

3. 扁桃$_2$

定位　太冲穴与行间穴连线的中点。

主治　急性扁桃体炎、流行性腮腺炎。

操作　直刺 0.5～0.8 寸。

4. 腰痛点

定位　第 1 跖骨小头外侧前方凹陷中。

主治　急性腰扭伤、腰痛。

操作　直刺 0.5～0.8 寸。

5. 坐骨$_2$

定位　足背、足临泣穴与地五会穴连线的中点。

主治　坐骨神经痛。

操作　直刺 0.6～0.8 寸,或向足底部坐骨 1 方向斜刺 1～1.5 寸。

6.落枕

定位　足背第 3、4 趾缝端后 2 寸处。

主治　落枕。

操作　直刺或斜刺 0.5～0.8 寸。

7.胃肠点

定位　足背,第 2、3 趾缝端后 3 寸处。

主治　急慢性胃肠炎、胃及十二指肠溃疡。

操作　直刺或向上斜刺 1～1.5 寸。

8.心痛点

定位　解溪穴下 2.5 寸。

主治　心痛、心悸、哮喘、感冒。

操作　直刺 0.3～0.5 寸。

9.腰腿点

定位　解溪穴下 0.5 寸,两旁凹陷中。一足两穴。

主治　腰腿痛、下肢拘挛疼痛。

三、足内侧足针穴位（图 99）

1.眩晕点

定位　足内侧舟骨突起上方凹陷中。

主治　眩晕、头痛、高血压、腮腺炎、急性扁桃体炎。

操作　直刺 0.3～0.5 寸。

2.痛经

定位　内踝高点直下 2 寸。

主治　功能性子宫出血、月经不调、痛经。

操作　直刺或斜刺 0.5～0.8 寸。

3. 痛经₂

定位　足内侧舟骨粗隆下后方凹陷中。

主治　痛经、功能性子宫出血、子宫附件炎。

操作　直刺 0.8～1.0 寸。

4. 癫痫点

定位　太白穴与公孙穴连线的中点。

主治　癫痫、癔病、神经衰弱等。

操作　直刺 0.8～1.2 寸。

四、足外侧足针穴位（图 100）

臀

定位　昆仑穴直上 1 寸处。

主治　坐骨神经痛、头痛、腹痛。

操作　直刺或斜刺 0.8～1.5 寸。

第三节　选穴原则

1. 依据疾病症状选穴：临床可以根据各种疾病的主要症状作为选穴的根据，对症选取对主证有治疗作用的穴位。例如，头痛可选头痛点，失眠选用安眠点等。主治作用相似的穴位可以配合应用，如坐骨神经痛可同时针刺坐骨 1、2、3 点进行治疗。也可将具有主治作用的穴位和对症作用的穴位配合使用，如失眠伴有头痛者，可选用安眠点配合头痛点治疗。

2. 依据疾病部位选穴：依据疾病发病的部位，选择相应的足针穴位针刺。如胃痛，可取胃点，尿闭取膀胱点、肾点。

3. 依据脏象学说辨证选穴：如因肝肾不足，肝阳上亢所致眩晕者，除取眩晕点外，还可以取肝点，配用肾点，目的在于"滋水涵木"。根据"肝开窍于目"，目疾可取肝点；"肾开窍于耳"，耳疾取肾点。

第四节　操作方法

1.体位：患者一般采用仰卧位，两足伸直，以便于术者取穴、针刺，足部放置应舒适、平稳。

2.消毒：针具及医者手指应按常规消毒，用 75％酒精棉球消毒针刺局部皮肤。

3.针法：选用 28～30 号，1～2 寸长毫针，在押手的配合下，用快速进针法将针刺入皮肤。根据针刺部位的不同和临床要求的不同，分别采用直刺、斜刺或平刺，及适宜的针刺深度。一般以捻转手法为主，用中等强度刺激。对于癫狂、急性疼痛等病证可采用重刺激。

4.留针：一般病证可在针刺得气后即出针或留针 3～5 分钟。根据病情需要亦可留针 20～30 分钟，每隔 5～10 分钟捻针 1 次，或加用电针。

5.疗程：一般疾病可每日 1 次或隔日 1 次，10 次为 1 个疗程。对急性病、疼痛性疾病可每日针刺 2 次。

第五节　注意事项

1.足针疗法的针刺感应较强，治疗前须向病人解释清楚，以取得配合。对初诊和精神紧张者，应采用轻刺激或不留针，以防发生晕针。

2.足部皮肤应注意消毒，并嘱病人针后保持清洁，防止感染。

3.沿骨的边缘针刺时,应注意不要损伤骨膜,并注意避免刺伤血管。

4.久病体虚患者不宜针刺,可酌用灸法治疗。

足针疗法取穴一览表

病 证	足 针 取 穴	病 证	足 针 取 穴
头 痛	头面、肾、头痛点、眩晕点、臀	落 枕	落 枕
失 眠	安眠、心、胃、脾、癫痫点	胃 痛	胃、胃肠点、肝
眩 晕	肾、眩晕点、肝	呕 吐	胃、大肠
中风昏迷	趾端	腹 痛	小肠、大肠、胃肠点、臀
面 瘫	面、头面	痢 疾	小肠、大肠、胃肠点
三叉神经痛	面、头面	消化不良	胃、脾
扁桃腺炎	心、扁桃$_{1,2}$、眩晕点	腹 泻	大肠、脾
目 疾	肝、头面	胁 痛	肝
耳 疾	肾	肋间神经痛	胸、肝
鼻 炎	头面	腰 痛	肾、坐骨$_{1,2}$、腰痛点、腰腿点
牙 痛	牙痛$_{1,2}$	急性腰扭伤	腰痛点、腰腿点
腮腺炎	扁桃$_{1,2}$、眩晕点	坐骨神经痛	坐骨$_{1,2}$、腰腿点、臀
高血压	心、肝、肾、眩晕点	心 悸	心、心痛点、肾
癫狂、癔病	安眠、肾、癫痫点	哮 喘	肺、胸、心痛点
癫 痫	癫痫点、肝、肾、安眠	胸 痛	胸、肺
尿 闭	脾、肾、膀胱、子宫	末梢神经炎	趾 端
遗 尿	膀胱、肾、遗尿	肿瘤疼痛	癌根$_{1,2}$
痛 经	子宫、痛经$_{1,2}$		

第七章　足象针疗法

足象针是西安市中医医院方云鹏先生根据多年临床经验,通过针刺足部经络脏象系统缩形部位,用来治疗全身疾病的新疗法。

多年来,通过大量的临床观察,发现足部同头部一样,存在着极为丰富、密集的特异功能刺激点,并十分有条理地分布于足骨周围的深浅组织内,若将这些刺激点,按体位顺序相互连接起来,则构成三个整体的人体缩形,纵排在足部。反应人体躯干腹侧、肢体屈面的刺激点,均分布于足掌蹠面,故称之为"脏"。反应人体躯干背侧、肢体伸面的刺激点,均分布于足背面,故称为"象"。针刺脏象投形区,可以治疗全身疾病,故称之为"足象针"。在疗效上,具有止痛、消炎、降压、镇静、急救等功效。特别是对神经、血管、运动系统及内脏和皮肤疾病疗效尤为显著。

第一节　穴区命名

足部存在有三个人体缩形、反应穴区和针刺系统。在分布特点上,每一系统均具有这样的规律:代表人体屈面的刺激点,都分布在足底侧,而代表人体伸面的刺激点,则分布在足背侧。这三个人体缩形部位,分别排列和相互重叠于足的不同部位。

其一,是头部位于中趾之上,朝着趾端方位,俯伏在足背部的一具人体缩形系统,命名为"足伏象"穴区,与该区域相对应的足底部,称为"足伏脏"穴区。

其二三是两具头部朝向近心方位,分布在足背面的人体缩形系统。因为它们的图像,恰好与"足伏象"分布方向相反,所以,称为"足倒象"穴区。"足倒象"的足底侧部位,称为"足倒脏"穴区。这两个穴区中,一个位于足内侧的穴区系统,命名为"胫倒象"、"胫倒脏";另一个,在足外侧的穴区系统,命名为"腓倒象"、"腓倒脏"。

第二节　穴区定位

由上可知,足象针穴区,主要是由足伏象、足伏脏、胫倒象、胫倒脏、腓倒象、腓倒脏6部分组成。各部位详细定位如下:

1. 足伏象:就是人的整体缩形,分别在足背侧各趾、跖骨之上的反应区域。

在左足上:足背第4趾、跖骨外侧,为左足伏象区系统的左半侧躯体。反之,内侧为右半侧躯体。

在右足上:足背第4趾、跖骨外侧,为右足伏象区系统的右半侧躯体。反之,内侧为左半侧躯体。

(1)头颈:位于第3趾各节背侧面。由趾端至第3跖趾关节,依次为头顶、后头和项部。

(2)躯干:在第3跖骨的背侧面,跖趾关节相当于颈胸椎之交界(大椎穴)处,踝关节相当于尾骶骨(长强穴)处。躯干划分为三段,即背、腰、臀三部分,背部占 3/7,腰部占 2/7,臀部占 2/7。

（3）上肢：左右上肢在两足上的位置，基本相同。但两足上各自代表着足伏象的左右上肢，恰巧相反而又重合。

左上肢：在左足上，是第4足趾的部位；在右足上，是第2足趾的部位。

右上肢：在左足上，是第2足趾的部位；在右足上，是第4足趾的部位。

第2、4跖趾关节处，相当于肩部；近节趾骨与中节趾骨关节处，相当于肘部；中节趾骨与远节趾骨关节处，相当于腕部。

足部第2、4趾末端，相当于手指。

（4）下肢：两足部位上所代表足伏象的左右下肢，刚好交叉相反，而又相互叠合。

左下肢：左足上是第5趾，右足上是第1趾。

右下肢：左足上是第1趾，右足上是第5趾。

（5）髋部：分别位于第1、5跖趾关节处。足趾近节趾骨与中节趾骨关节处，相当于膝部；中节趾骨与远节趾骨关节处，相当于踝部，但踇趾是两个趾节，故踇趾踝部定在趾甲根部两侧。

2. 足伏脏：足伏脏与足伏象，一个在足底侧，一个在足背部，二者结合则构成一个人的整体，即足伏脏为足伏象整体缩形之屈曲面，内脏在足底侧的反应区或部位，其各部位基本与足背面的足伏象部位相互对应。

3. 胫倒象：就是人的整体缩形，在足背内侧第1、2趾骨，第1、2跖骨，舟状骨与第1楔状骨的反应区或部位。因为反应系统的头部位于足的近侧端，正与分布在足远侧端的足伏象头部呈倒置，故称为"胫倒象"。胫倒象是沿着足背第1、2趾、跖骨分布的。

在左足上：足背第1、2趾、跖骨的内侧为胫倒象躯体的右

— 81 —

半侧部位。反之,外侧为左半侧部位。

(1)头部:沿着第1、2趾、跖骨的延长线分布在舟状骨与第1楔状骨近侧1/2面之上。

(2)颈部:分布于第1楔状骨远侧1/2面之上,由近侧面向远侧面依次为1~7颈椎。

(3)躯干:分背、腰和臀部。背部位于第1跖骨之上。腰部和臀部位于第2跖骨之上,腰部、臀部各占纵长1/2区段。

(4)上肢:左上肢在左足上,位于足背第1趾、跖骨外侧;在右足上,位于足背第1趾、跖骨内侧。

左右肩、肘、腕部,分别位于第1跖趾关节、近节趾骨与中节趾骨关节和趾甲根部的两侧部位。

(5)下肢:左侧下肢在左足上,位于足背第2趾、跖骨中线的外侧面;在右足上,位于足背第2趾、跖骨中线的内侧面。

右下肢:在左足上,位于足背第2趾、跖骨中线内侧面。在右足上,位于足背第2趾、跖骨外侧面。左右髋、膝、踝部,分别位于第2跖趾关节、近节趾骨与中节趾骨关节及中节趾骨与远节趾骨关节。

4.胫倒脏:胫倒脏和胫倒象,组合为一个整体系统,即胫倒脏为胫倒象整体缩形之屈收面,内脏在足底侧面的反应区域,胫倒脏各部位置与足背侧的胫倒象部位相对。

5.腓倒象:就是分布在足背外侧,即第4、5趾骨,第4、5跖骨,骰骨之上的穴区反应系统。该穴区在足上恰好与胫倒象部位大致相似。

在左足上,腓倒象人体缩形之左半侧躯体,分布于足背第4、5趾、跖骨中线的外侧;而右半侧躯体,则分布在足背第4、5趾、跖骨中线的内侧区域。

在右足上,足背第4、5趾、跖骨中线的外侧区域为腓倒象右半侧躯体。反之,内侧区域为左半侧躯体。

(1)头部:位于两足背骰骨之上,其头部长是宽的一倍半。

(2)颈部:位于骰骨前部与第5跖骨粗隆之间。

(3)躯干:背部位于第5跖骨之上。腰、臀部位于第4跖骨之上,各占纵长1/2区段。

(4)上肢:左右两上肢,分布于第5趾的两侧,以趾骨中线为界。肩部位于跖趾关节,肘部位于近节趾骨与中节趾骨关节,腕部位于中节趾骨与远节趾骨关节。

(5)下肢:左右下肢分布于第4趾的两侧,以第4趾骨中线为界。髋部位于跖趾关节,膝部位于近节趾骨与中节趾骨关节,踝部位于中节趾骨与远节趾骨关节。

6.腓倒脏:腓倒脏为腓倒象的整体缩形之屈收面,内脏在足底外侧的反应区域,其各部位基本与足背侧腓倒象部位相对。

以上见(图101~104)。

第三节　主治作用

1.足伏象、胫倒象、腓倒象:为全身运动神经机能的集中反应区,主要管理和调节全身的运动机能,故称之为末梢运动中枢。对于全身的神经系统、血管系统和运动系统疾病,疗效尤为显著,并以人体伸面、背侧部位的上述疾患为主。

2.足伏脏、胫倒脏、腓倒脏:为全身感觉神经机能集中反应区,主要管理和调节全身的感觉机能,故称之为末梢感觉中枢。对于全身皮肤疼痛、冷热、麻木、瘙痒等不适之感,以及内脏疾患,疗效尤为显著,并以人体屈面、腹侧部位的上述疾患为主。

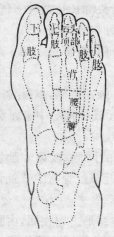

图 101　足伏象示意图

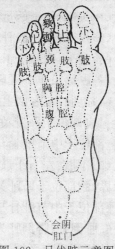

图 102　足伏脏示意图

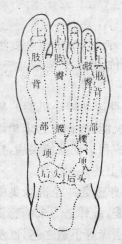

图 103 胫倒象、腓倒象示意图

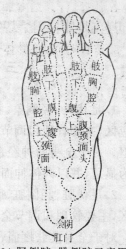

图 104 胫倒脏、腓倒脏示意图

第四节　操作方法

1. 针具：一般选用 26 号或 28 号、30 号的 0.5～2 寸毫针。

2. 进针：进针方法，分速刺与缓刺两种。速刺要求针体与皮肤呈 90°角；缓刺时，采用 15°～45°或 90°均可。一般针尖穿透皮肤时，多使用快速直刺法。进针过程，不要捻转，以减少疼痛。在进入皮肤后，若继续进针，即可采取直刺、斜刺和平刺等几种方法。

3. 深度：针刺的深度分几层，可在穴位处的表皮浮刺（点刺），也可达皮内、皮下、肌肉、骨膜等层组织。针尖应尽量避开大血管。

4. 行针：行针是增加刺激量的一种手段。因病不同，操作时，可运用大、小、轻、重的提插和捻转等手法，亦可以不行针。

5. 留针时间：将针体留置穴位处一段时间，有延续刺激的作用。一般每次留针 20～30 分钟，即可起针。若病情需要，亦可适当延长留针时间。

第八章　足部治疗方法

第一节　足区按摩

按摩又称推拿,古称按跷、案扤等,是人类最早的治病手段,属于物理性质的外治法,是中医学的重要组成部分。

足对应区按摩疗法将按摩手法仅限于足部。足有其特殊结构,有它固定的骨骼及附着其上的肌肉,内含有丰富的血管、神经,肌肉浅薄,结构紧凑等特点。因此,足对应区按摩疗法与身体其他部位按摩疗法有着不同的特色。

足对应区按摩疗法在国内外有多种称呼,在欧美常称"区域疗法"或"区带疗法",在日本有称"足心道"、"柴田操法"、"足反射疗法"等,在台湾和香港常称"足底按摩"、"脚部按摩"、"病理按摩"。

一、按摩作用

1.平衡阴阳,调整脏腑:任何事物都存在正反两个方面,即阴和阳这一既对立又统一的矛盾。人体是相对独立的整体,也包括阴阳两个方面。阴阳的动态平衡维系着人体的正常生理功能。通过足对应区按摩、脏腑功能紊乱得以纠正,阴阳也就平衡。足对应区按摩的刺激增强了脏器自我修复、调整能力及抗邪能力,使脏器步入正常轨道运转,发挥应有的功能。

2.由表治里,活血化瘀:按摩足对应区能治疗它所对应的脏器的疾病。按摩的是足的皮肤,治疗的却是在胸腹腔的脏腑和与脏腑相关的器官疾病,体现了由表治里的特点。通过足对应区按摩,可增加血流速度、增加回心的血量,具有活其血、化其瘀,使瘀者通、堵者开、血得畅、毒废物得排,起活血化瘀排毒的作用。

3.舒筋通络,镇静安神:按摩足对应区,可使起于足趾末端的经筋得到舒展,使与之相连结的关节滑利,肌肉强劲,经脉得以疏通,起到舒筋通络,行气活血的作用,气血和人自安。

足部按摩可解除疲劳,精神上得到了宽慰,具有药物所不及的镇静安神的效果,又无副作用,消除了病人的焦虑病理状态,对疾病的治疗也是大有裨益的。

4.有病治病,无病保健:本疗法具有操作简便的特点,故在茶余饭后、看电视或工作过程中,都可以自己用手按摩或利用必要的器械,对足对应区进行按压等刺激,可以起到治疗作用。应用足疗则有病治病,无病保健,有病无病皆可应用,无任何副作用,而且安全有效。

二、选区原则

采用足部对应区按摩治疗疾病时,选取对应区的原则是根据病证受累的脏腑器官,并结合整体观念和辨证施治确定基本选区、重点选区和配区。

1.基本选区:基本选区在治疗上强调提高机体免疫和排泄功能,将"毒素"或有害物质排出体外。因此,将腹腔神经丛、肾、输尿管、膀胱等对应区作为常规的基本选区。在足部对应区按摩起重要作用,无论治疗按摩或保健按摩,在按摩开始时和结束时都要反复按摩3遍。

2. 重点选区：各种病证所累及的部位和脏腑器官其相应的对应区即为重点选区。在操作过程中需增加按压的力度和时间，如"肩周炎"的重点选区是肩胛骨、肩关节、斜方肌；妇科病证的重点选区是子宫、卵巢、阴道等对应区。

3. 配区：根据具体病证和患者的身体情况，选择配合基本对应区、重点对应区起着辅助作用的对应区。如"肝炎"按肝病伤脾，施以疏肝健脾；眼病配区是肝脏对应区，即肝开窍于目；"关节炎"配肝、肾对应区，即肝主筋、肾主骨生髓；"扁桃腺炎"、"气管炎"等有炎症的疾病配以淋巴腺对应区，以增强免疫抗病机能。

三、按摩方法

按摩手法是以拇指或其他手指的指腹，或指关节的压力，在足部对应区内，均匀有规律地按压。现将临床上常用手法介绍如下：

1. 压法

(1)拇指尖施压法：此法较为常用。它可通过拇指第一关节的屈伸运动进行，因为拇指最为柔软、灵活，是最粗壮有力的手指，运动角度也比较大。拇指按压足底时，其余四个手指支在足背上；拇指按压足背时，其余四个手指支在足底上，使操作灵活，便于施力。

按摩时，将拇指关节在患者足部皮肤上，弯曲成直角，着力点在偏离指甲尖端中央 2～3mm 处，垂直用力按压。接着去掉按压之力，手指放松，手指伸直与患者皮肤平行。这样一个动作完成。一系列动作不间断、有节奏、轻柔地进行，可将刺激能量均衡地施于对应区内。此法适合初学者，可用于各个对应区。久用此法，拇指经常处于紧张状态，易患腱鞘炎，可与其他手法交替使用(图 105)。

图 105　拇指尖施压法　　　　　图 106　食指单勾施压法

(2)食指单勾施压法:将食指弯曲,拇指靠于食指末节,对食指有向上推力,保持食指指骨同手掌、小臂、大臂成一条直线,这样可以省力。食指关节按压时,压 1 次提起 1 次,解除压力。用力要均匀、渗透,使刺激持久,患者又能耐受,感到舒服。此法适于足底对应区、足内外侧面和足背部分对应区(图106)。

2. 搓法

(1)掌搓法:一般用在治疗开始时。操作是将手伸展开,由足底端向足尖部来回搓压,能缓解足部肌肉紧张,使足各个对应区都得到按摩,有加强脏腑器官功能的作用,有利于疾病的整体治疗(图 107)。

(2)拇指搓法:是以拇指指腹上半部,上下来回地搓压,适合于几个对应区相距很近,又都需要按摩者。如从肾对应区到输尿管到膀胱对应区、结肠对应区都需本手法按摩(图 108)。

3. 揉法:由于足对应区面积不大,只能适合于拇指揉法,操作时以拇指的上半部接触足的对应区,作圆形施转压揉,向

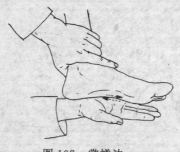

图 107　掌搓法

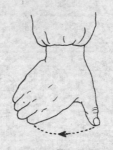

图 108　拇指搓法

左向右旋转皆可。它的特点是施力面积较压法大,适合对应区范围较大的部位。如腹腔丛、胃等对应区(图 109)。

图 109　揉法

图 110　撮指叩法

4. 叩法

(1)食指叩法:拇、食两指指腹相对,中指指腹放在食指指甲上,三指合并捏紧,食指端略突出,用腕力上下动作行点叩法。足底、足背对应区皆可应用。

(2)撮指叩法:手指微屈,五指端捏在一起,形如梅花状,用腕部弹力上下动作行点叩法。此法适于足部肌肉少的对应区,足跟痛用叩法疗效较好(图110)。

5.捏法:是以拇、食二指分别捏压在两个对应区上压揉,或者拇指在一个对应区点压,而食指在另一面起固定作用。适合于对应区相对的部位,如下部淋巴腺就可用此法(图111)。

6.握法:是以除拇指以外,其他四个手指抓握在几个反射区上,四指同时用力点压。此手法适于几个相关对应区,且按顺序排列。如胸椎、腰椎和骶椎时可用此法,脚趾掌侧面的眼、耳、鼻对应区也可用此法,用于治疗、保健皆可(图112)。

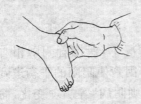

图111　捏法

图112　握法

关于按摩操作中的说明:

1.按摩的节奏:就是指按压对应区的频率,根据情况,具体问题具体分析。要视病人体质虚者,节奏要慢;实者节奏要快。虚为体质弱,一般状态差;实为体质强,一般状态好。

2.力度:是按摩对应区时,用力的大小。一般情况下,虚者用力要轻,实者用力要重。施力大小怎样才算合适?有的认为越痛越好,我们认为还是按压至痛与不痛之间为好。

3.刺激量:是指按摩时,对足对应区刺激的程度。我们把它分为轻刺激、重刺激两种。每次按摩操作时,开始要轻刺激,治疗中间要重刺激,按摩结束前要用轻刺激。随着治疗的深入,病人耐受力的提高,治疗的刺激量要加大。

4. 按压的时间:是每个对应区治疗的时间,应因人、因对应区区别对待。一般地说,按压的时间约为 50 秒、30 秒、20 秒,但也不是绝对不变。它体现出重点穴位区要重点按压,时间要长,以此类推。两足脚作完大约需要 30～40 分钟,每天可治疗 1 次,或隔日 1 次,10 次为 1 个疗程。疗程之间可间隔 1～2 天,或连续作下 1 个疗程。

第二节　足穴针灸

一、针灸作用

1. 调和阴阳:人体在正常的情况下,保持着阴阳相对平衡。如因七情六淫以及跌仆损伤等因素使阴阳的平衡遭到破坏时,就会导致"阴胜则阳病,阳胜则阴病"等病理变化,而产生"阳盛则热,阴盛则寒"等临床证候。针灸治病的关键就在于根据证候的属性来调节阴阳的偏盛偏衰,使机体转归于"阴平阳秘",恢复其正常的生理功能,从而达到治愈疾病的目的。

2. 扶正祛邪:扶正,就是扶助抗病能力;祛邪,就是祛除致病因素。疾病的发生、发展及其转归的过程,即正气与邪气相互斗争的过程。疾病的发生,是正气处于相对劣势,邪气处于相对优势而形成的。如果正气旺盛,邪气就不足以致病。人体得病后,机体仍然会不断地产生相应的抗病能力,与致病因素作斗争。若正能胜邪,则邪退而病自愈;若正不敌邪,则邪进而病恶化。因此,扶正祛邪是保证病向良性转归的基本法则。

针灸治病,就在于能够发挥其扶正祛邪的作用。大凡针刺补法和艾灸有扶正的作用;针刺泻法和放血有祛邪的作用,但在具体运用时必须结合腧穴的特性来考虑。

3.疏通经络：人体的经络"内属于脏腑,外络于肢节"。十二经脉的分布,阳经在四肢之表,属于六腑;阴经在四肢之里,属于五脏.并通过十五络的联系,沟通表里,组成了气血循环的通路,它们"内溉脏腑,外濡腠理,"维持着正常的生理功能。就病理而言,经络与脏腑之间也是息息相关。病起于外者,经络先病而后可传于脏腑;病生于内者,脏腑先病而后可反映于经络。

针灸治病,就是根据经络与脏腑在生理病理上相互影响的机理,在腧穴部位进行针刺或艾灸,取得"通其经脉,调其气血"的作用,从而排除病理因素,治愈疾病。

二、选穴原则

1.近部选穴：是指在病痛的局部和邻近的部位取穴。此种方法,多用于局限的症状比较显著的部位,例如红肿疼痛、麻木等,对急、慢性病痛都可适用。如踝关节疼痛可取商丘、丘墟、解溪等穴。

2.远部选穴：主要是在离病痛较远的部位,根据脏腑经络学说取穴,如胃痛取公孙,头面有病取至阴。

3.对证选穴：是针对全身性的某些疾病,结合腧穴的特殊作用的一种取穴方法,如肝气郁滞者取太冲,胃疼取解溪。

三、针灸方法

1.针灸前的准备：要选择好针具,选择的毫针应该是以针柄无松动、针身挺直、光滑、坚韧而富有弹性、针尖圆而不钝,呈松针形者为好。如针身有缺损和伤痕明显者,应剔出不用。在临床工作中,除了注意选择针的质量好坏以外,还要根据患者的体质强弱、体形胖瘦、病情虚实以及针刺部位的不同,选择长短、精细适宜的针具。

2.选择体位:患者的体位是否合适,对于正确取穴、针灸操作、持久留针以及防止晕针、弯针、滞针、断针都有很大影响。因此,选择体位,具有重要的临床意义。一般而言,选择体位应以医者能正确取穴、操作方便,病人肢体舒适并能持久留针为原则。临床常用的体位有以下几种:

仰卧位:适用于取足背面的腧穴。

侧卧位:适用于取足侧面的腧穴。

俯卧位:适用于取足底面的腧穴。

3.消毒:针具最好用高压消毒,也可以煮沸消毒,或用75%的酒精浸泡消毒。用于某些传染病患者的针具,必须另外放置,严格消毒。施术部位的消毒,一般用75%的酒精棉球拭擦即可。医者的手指也应该用酒精棉球拭擦后,方可持针操作。

4.进针操作:在进针时,左手拇指端切按在穴位旁边,右手持针,紧靠指甲面将针刺入穴位内,根据病情,如果是实证可用强刺激,虚证可用弱刺激。一般留针10～20分钟后,即可出针。出针时,可用消毒棉球按压在针旁,即可把针起出。

5.施灸操作:把艾条一端点燃,然后对准施灸部位,距离为2cm,当施灸部位出现红晕为度,一般每处灸3～5分钟即可。但一定要防止烫伤。

第三节 足部贴敷

足部贴敷包括足穴和对应区两部分。是用中药加工成不同的制剂,根据疾病的需要,把配制好的药物剂型,贴敷在足穴或对应区上,达到治疗疾病的一种方法。

一、贴敷作用

贴敷作用,主要是通过药物的刺激或药物被皮肤吸收后,发挥了药物的治疗效果,就起到了消炎、消肿、驱除寒湿、减轻疼痛、消除疲劳等治疗作用。

二、选穴原则

1.根据病变部位选穴:根据病变部位在足部选取对应区。如眼病选眼的对应区,咳嗽、喘选肺和气管的对应区等。

2.根据中医理论选穴:根据中医学的脏腑经络学说及其生理病理关系选穴。如偏头痛选胆经的足部穴位,因胆经循行于头侧;目赤肿痛选肝经的足部穴位,是因"肝开窍于目"等。

3.根据现代医学知识选穴:如月经不调选脑垂体对应区;输液反应选肾上腺对应区等。

三、贴敷方法

贴敷方法所用的药物及配制,就包括药物的选择和赋形剂的使用。如果所用中草药是鲜品,草药本身含有汁液,只需将药弄碎压成糊状,即可贴敷于足对应区或腧穴上,进行治疗疾病。若是所用的药物是干品,需将药品粉碎,研成细粉末,而后加赋形剂,如酒、醋、水、姜汁、蛋清、蜂蜜等,调匀就可使用。由于操作方法简单,患者可以自己配制,独立操作。

1.药粉:把所需要处方中的药物粉碎成粉末状,混合均匀,用罐或瓶盛装后放置阴凉处备用。

使用时,可将药粉用水或其他赋形剂,调和成饼、团、丸皆可,放在医用胶布上,贴在治疗的对应区或足穴上即可。

2. 药丸：将处方中的药物全部粉碎成粉末，加入酒、醋或蛋清、蜂蜜等，揉成丸状，大小根据对应区或足穴而定，贴在治疗的对应区或足穴上，用医用胶布固定即可。此法一般用于较小的对应区或足穴上。

3. 药泥：将处方中的新鲜草药，直接捣碎成糊状。或将草药干品粉碎成粉末，加入酒、醋、鸡蛋清、蜂蜜等，使之调成糊状，涂于对应区或足穴上，注意厚薄要均匀。药泥的特点是使药力缓慢释放、作用持久，易做成不同形状，贴在对应区或足穴上。

4. 药膏：将处方中的药物粉碎成细末，搅拌均匀后，加入醋、酒或蜂蜜等，根据不同需要选用不同赋形剂，置于锅内加热，熬成膏状。

使用时将药膏直接粘在对应区或足穴上。药膏的特点是药力渗透性较强，药效释放柔和，粘着性好，易延展。

5. 药饼：将处方中的药物粉碎，调和均匀后，放入少量面粉，加水和成糊，压成饼状，用锅蒸热，趁热贴于治疗的对应区或足穴上。此法可增强疗效，加强药物的渗透。

6. 药水：将处方中的药物用温水先浸泡半小时，然后用大火煮开，当药液煮到水减至原来药液的一半时，改用小火煮，同时将干净软布或纱布，浸入药液中。使用时，将软布或纱布轮换敷于所需治疗的对应区或足穴上。此法具有药物的作用，还有热效应，能活血、舒筋、润肤等功效。使用本法时注意防止烫伤。

上述治疗方法在应用时，应注意以下几点：

1. 凡是皮肤过敏者，不能应用本法。

2. 足部皮肤有严重溃疡、糜烂及创伤者不能应用本法。

3. 急腹症，有手术指征者不能用本法。

第四节　足部薰浴

足部薰浴法,包括足部薰蒸法与足部洗浴法两部分内容,属于祖国医学的外治法范畴。

薰蒸法,又称蒸气疗法或中药蒸气浴,系利用药液加热蒸发的气体进行治疗的方法。很多中医书籍中均有该法的记载,如吴尚先《理瀹骈文》中就载有二十余首薰蒸方药。

洗浴法,又称浸洗法。足部洗浴法是用药物煎汤,浸洗足部,以达治疗目的的方法。早在东汉张仲景所著的《金匮要略》中就载有浸洗方法,如用矾石汤浸脚治脚气冲心。以后历代方书中都有不少该法的记载,如明代《圣济总录》亦有部分记载。

一、薰浴作用

薰浴法通过药物和热力较长时间的作用于足部后,不仅在足部产生效应,而且通过经络气血,由表及里,从下传上,由皮肤到脏腑,达到通调上下内外,调节气血阴阳,扶正祛邪健身的目的。

二、薰浴方法

薰蒸法与洗浴法,可以分别运用,也可配合使用,即可先薰后浴,又可边擦边浴。总之,应根据具体情况,灵活运用。

薰蒸法:将加热煮沸的中药煎剂,倾入适当大小的容器中,约 $1/2 \sim 2/3$,让病人将双足置于容器中,离药液一定距离,上部还可覆盖毛巾,以防热气外透,便于保温,进行薰蒸。

洗浴法:将药物煎水,去渣取液,然后用此药液浸洗双足,或先薰后浴之。

薰浴法每天可进行 1～2 次，每次 30 分钟左右。

该法适用于各种癣，跌损所致的肢体肿胀、疼痛，风寒感冒汗不出，脚气冲心，小便不通，脱肛，阴挺，风湿性疾病，周围血管障碍，运动系统疾病，肥胖症，瘙痒症以及格林-巴利综合征。

三、注意事项

1.薰蒸时足部与药液间要保持适当距离，并根据药液的温度不断调整，以温热舒适，不烫伤皮肤为度。

2.洗浴温度以 40℃左右为宜，防止烫伤。

3.治疗时要注意保暖，免受风寒，薰浴后要将足部擦干。

4.恶性肿瘤，癫痫，急性炎症，心功能不全，慢性肺心病等禁用薰蒸法。

第五节　足部功法

足部功法是气功治病的一种方法，即从足部导引或用手搬动足部或以足部带动全身活动，加以调整呼吸，集中意念使气运行至足部的一种治病方法。该法历史悠久，在古医书中就有许多足功法治病的记载。在清代潘霨所著《内功图说》中，就有心功、身功、首功、面功、手功、足功、背功、腰功、肾功等治病的论述。所以在临床中以足功治病，再辅以其他疗法是非常有效的。

一、足功作用

足是人体重要器官之一，有许多穴位和经络，例如足三阳经的循行方向均由头部经项背及下肢抵达足部。足三阴经的循行方向均由足部经下肢内侧及腹部而抵达胸部。足部也是气功常意守的部位之一,足功正是通过本身的活动和意守足部,使其疏通经络,协调脏腑而达到防病治病的目的。

二、足功原则

足功治病的原则,一般总是因阳盛火旺或虚火上炎的患者,使气下引,多从足部排出,以达降火滋阴的作用,而虚证患者,多导引足部,以达到疏通经络,调整脏腑的作用。如果导引、运气同时练习,再加上以足部带动身体活动,对治疗风湿痹证疗效极佳,可达到祛风散寒的作用。当然在练功时,并不一定按上述所说的做,主要是根据本人的具体情况而定,下面还要根据具体的疾病进行足功治疗的功法介绍。

三、足功方法

足功同练气功一样,也要调身、调息、调心,通过调整好身体的姿势,然后再进行呼吸的调节和锻炼,意念的集中和运用,而达到意、气、形相合,精、气、神兼练,祛病健身的目的。

练足功首先要调好身体的姿势,一般多取坐式或卧式,也有站式,使身体处于松静、舒适、自然的最佳状态。也可在调身之前先活动一下足部或用热水洗脚,以使足部的血液循环加快,这样可达到事半功倍的效果。然后调整呼吸、使之静细匀长,以便更好地促进大脑入静和意念集中,以达到心身宁静的状态。最后调身,使意念集中,再加以运用,使气可顺利达到足部,或意守足部,使气在足部运转,调经活络。另外,足功的另一个练功方法是足部的导引,即在气的引导下足部本身的活动,或用手活动足部,以达治病强身的目的。

第九章　常见病证的治疗

第一节　内科疾病

感　冒

感冒是风邪侵袭人体所引起的常见外感疾病。凡衣着过少，大汗湿身，疲劳过度，酒后当风等机体抵抗力低下时易发感冒。

中医辨证：偏风寒者，表现为鼻塞声重，喷嚏，流清涕，喉痒咳嗽，痰多稀薄，口不渴，甚则恶寒，发热，恶寒重，发热轻，头痛，身痛，无汗，舌苔薄白，脉浮或浮紧；偏风热者，表现为发热重，恶寒轻，兼有汗出，头痛，或昏胀，鼻塞，流涕，面红，目赤，口干而渴，咽喉红肿疼痛，咳嗽，痰黄稠粘，咳吐不爽，胸部作闷，苔薄黄，脉浮数；偏于湿者，表现为恶寒，发热，身热，汗出而热不解，身重倦怠，头昏胀如裹，吐白色粘痰，咳声重浊，胸腹部胀闷，大便稀薄，小便少，色黄，舌苔白腻或黄腻，脉濡数。

治　疗

1.足区按摩：头（1）　小脑（3）　喉（48）　扁桃体（45）

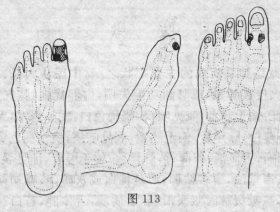

图 113

鼻(6) （图 113）

2.足穴针灸

（1）经穴针灸:昆仑　解溪　足通谷　照海　然谷　毫针泻法留针 20 分钟,偏寒、偏湿者,针上加灸。

（2）奇穴针灸:大趾聚毛　足心　八冲　毫针泻法,留针 20 分钟,偏寒、偏湿者,针后加灸。

（3）足针针灸:头面　肾·心痛点　中等强度捻转,留针 20 分钟。

（4）足象针灸:足伏象、胫倒象、腓倒象的相应头　颈部。
大的提插捻转,留针 20 分钟。

3.足部外敷

（1）白芥子 9g　鸡蛋清 2 个　将白芥子研为细末,用鸡蛋清调敷足心(《常见病验方研究参考资料》)。

（2）生南星 31g　研末,醋调敷两足心(《贵州民间方药集》)。

（3）白矾　小麦面各适量。研为细末,用醋或开水调成膏,贴涌泉穴(《腧穴敷药疗法》)。

咳　嗽

咳嗽是肺系疾病的主要症状之一,中医认为风、寒、暑、湿、燥、火侵袭肺系,或脏腑功能失调,内邪扰肺,肺气上逆所致。辨证:偏于寒者,兼见咳痰,痰稀色白,发热恶寒,无汗,舌质淡,苔薄白,脉浮紧;偏于热者,兼见咳痰,痰粘稠色黄,咳出不爽,咽痛,舌质淡,苔薄黄,脉浮数;偏于湿者,证见晨起咳嗽较甚,咳声重浊,痰多粘稠,痰色稀白或灰暗,咳嗽初期,痰不易咳出,咳嗽缓解时咳痰滑利,舌质淡,舌体胖,苔白腻,脉濡或脉滑;偏于肝火者,见阵发性咳嗽,痰少质粘,咳嗽时伴胸胁部牵拉痛,情志不舒或脑怒后咳嗽加重,面部略红,咽喉干燥,口苦,舌尖红,舌苔薄黄,脉弦数。西医学中气管炎、支气管炎、肺炎等以咳嗽为主的疾病,均可参照本节治疗。

治　疗

1.足区按摩:喉气管(48)肺、支气管(14)　胸部淋巴(41)　肾脏(22)　脾脏(34)(图114)

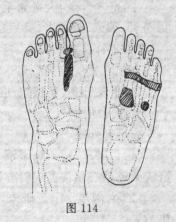

图 114

2.足穴针灸

(1)经穴针灸:足窍阴　足通谷　涌泉　太溪　大钟　伴发热者加厉兑、内庭、冲阳、陷谷。毫针泻法,偏寒、偏湿者,针上加灸。

(2)足针针灸:肺;偏湿者加脾、胃;肝火者加肝。中等度捻转,留针 20 分钟,偏湿者针后加灸。

(3)足象针灸:取胫倒脏、腓倒脏的相应肺、气管、脾的部位。行大的提插捻转,留针 20 分钟。

3.足部外敷:白胡椒 7 粒　栀子 6g　桃仁 7 粒　杏仁 7 粒　江米 7 粒,共为细末,用鸡蛋清调成糊状,晚上敷脚心,次日早晨拿掉(《北方常用中草药手册》)。

4.足部功法:端坐在床上,双足向前伸出,踝关节呈垂直状,足尖向上翘起。排出杂念,安定心神,左右手五指指尖各自并拢在一起呈掐诀状,双臂用力向前平伸,上身向前躬,头尽量下低,用双手板足尖,反复 3 次后,双手仍呈掐诀状,将口中唾液咽下,如此练 24 次。再练运动,静心,调息,默念"一吸便提,气气归脐,一提便咽,水火相见"十六字,意想腰部,然后将气运至尾闾(尾骨),在此运转 8～9 次,再静养一会,痰火自然下降(《保生秘要》)。

肺　结　核

肺结核是结核杆菌引起的一种慢性传染病。中医称之"肺痨"。常因外感"痨虫",内伤体虚,气血不足,先天身体薄弱,生活无规律性,忧郁易怒,酗酒,房劳过度,耗伤气血津液,痨虫乘虚袭人而发病。本病主要以咳嗽、咳血,午后发热,睡眠中汗出,身体消瘦为特征,并具有强烈的传染性。偏于肺虚者,见干咳或咯少量粘稠痰,痰中带血,胸闷或隐隐作痛,咽干口燥,手心、脚心烦热,疲乏无力,舌质红,苔薄白,脉细数;脾虚者,见咳嗽痰多,痰液清稀或夹少量血丝,白天即使不活动亦汗出,饮食减少,腹泻,面色苍白,舌淡苔少,脉细弱无力;肾虚者,见咳嗽剧烈,咳痰少量而质粘稠,咳血鲜红,咳时胸骨疼痛,两颧潮红,心烦,口渴,失眠,男子遗精,女子经闭,舌质红,光剥无苔或薄黄,脉细数。

治 疗

1.足区按摩:肺 支气管(14)　喉、气管(48)　胸部淋巴(41)　脾脏(34)　肾脏(22)　上身淋巴(39)　下身淋巴(40)(图115)

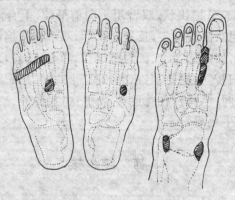

图 115

2.足穴针灸

(1)经穴针灸:足窍阴　足通谷　内庭　太溪　然谷　咳血者,加大钟。毫针补法,留针20分钟,脾虚者,针后加灸。

(2)足针针灸:胸　肺　偏脾虚者加脾、胃肠点;肾虚者加肾、失眠。行中等度的捻转,留针20分钟。

(3)足象针针灸:取胫倒脏、腓倒脏的相应的肺、胸、脾、肾、肝的部位。行小的提插捻转,留针20分钟。

3.足部外敷:肺结核咳血:大黄10g　硫黄末6g　肉桂

末、冰片各 3g　将新鲜大蒜去皮捣成泥状混合调匀,分别涂于两块纱布上,敷贴于双侧涌泉穴,隔口换药(《山东医药》,1979(5))。

4.足部功法:端坐在床上,双足向前伸出,踝关节呈垂直状,足尖向上翘起,排出杂念,安定心神,左右手五指指尖各自并拢在一起呈掐诀状,双臂用力向前平伸,上身向前躬,头尽量下低,双手扳足尖,反复 3 次后,双手仍呈掐诀状,将口中唾液咽下,如此练 24 次。再练运动,静心,调息,默念"一吸便提,气气归脐,一提便咽,水火相见"十六字,意想腰部,然后将气运至尾闾,在此运转 8~9 次,再静养一会(《保生秘要》)。

哮　喘

哮喘是一种发作性呼吸道及过敏性疾患。多以寒凉季节及气候急剧变化时发病。常因吸入花粉、灰尘、真菌、孢子、动物毛屑,食鱼虾蟹腥,感染细菌、病毒、寄生虫后,在情绪激动及寒温失调后发生哮喘。发病前出现喉痒、喷嚏、咳嗽、胸闷等先兆症状,继则出现胸部满闷,呼吸急促,喘鸣有声,甚至张口抬肩,难以平卧。中医辨证:偏于风寒者,伴喘急,胸闷,遇寒复发或加重,恶寒,发热,鼻流清涕,舌淡红、苔白滑、脉浮紧;偏风热者,伴胸闷,痰黄质稠咯出不爽,口渴,舌红,苔黄腻,脉滑数;偏于痰浊者,痰多而粘,咯出不爽,胸中满闷,食欲减退,舌苔白腻,脉滑;偏于肺虚者,伴气短,咳声低弱,口干,舌质红,脉细弱;偏肾虚者,伴吸气短,呼气长,喘促日久不愈,体瘦四肢冷,甚则肢体浮肿,小便不利,心慌,舌质淡,脉沉细。西医学的支气管哮喘、喘息性支气管炎、肺炎、心原性哮喘、阻塞性肺气肿、癔病等出现的呼吸困难时,可参照本节治疗。

治 疗

1. **足区按摩**：喉、气管（48）　肺、支气管（14）　胸部淋巴（41）　甲状旁腺（13）　肾脏（22）　脾脏（34）　肾上腺（21）（图116）

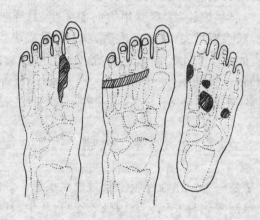

图 116

2. **足穴针灸**

(1)**经穴针灸**：足临泣　昆仑　足通谷　隐白　涌泉　然谷　毫针泻法，留针20分钟，偏风寒、痰浊、肾虚者，针上加灸。

(2)**足针针灸**：胸　痞根。心痛点　肾虚者加肾。中等度捻转，留针20分钟，偏寒、痰浊、肾虚者，针后加灸。

(3)**足象针针灸**：取胫倒脏、腓倒脏的相应肺、胸、肾、脾部位。偏寒、热、痰浊者，行大的提插捻转；肾虚者，行小的提插捻转，留针20分钟。

3. **足部外敷**

（1）白矾 30g　面粉　醋各适量　和匀做成小饼状，贴在两足心，布包一昼夜（《常见病验方研究参考资料》）。

（2）白矾 30g　醋调包脚心，每日 1 次。

4.足部薰浴

各型哮喘：鱼腥草 60g　苏子 30g　五味子 20g　地龙 30g　沉香 10g　上药同鸡蛋 2 个同煎 30 分钟（沉香后下），去渣，食蛋，以汤浸洗双足，每晚 1 次。

5.足部功法：端坐于床上，两脚向前伸出，踝关节呈垂直状，脚尖向上翘起，排出杂念，安定心神，左右手五指指尖各自并拢在一起呈掐诀状，双臂用力向前平伸，上身向前躬，头尽量下低，用双手板足尖，反复 3 次后，双手仍呈掐诀状，将口中唾液咽下，如此练 24 次。再运动，静心，调息，默念"一吸便提，气气归脐，一提便咽，水火相见"十六字，意想腰部，然后将气运至尾间（尾骨），在此运转 8～9 次，再静养一会儿，痰火自然下降（《保生秘要》）。

中　暑

中暑是指在炎热环境中发生的一种急性疾病。盛夏季节，天气酷热或高温度、高湿度及空气流通较差的环境下持续工作，或烈日下远行，易发中暑，老年体弱及患心、肝、肾等慢性病及肥胖者多发此病。发病前首先出现全身疲乏无力，大量汗出，口渴耳鸣，头晕，头痛，恶心，眼花，胸闷等。此时不及时治疗，可发为中暑。临床见高热，少汗，面白，皮肤热或湿冷，烦躁不安，表情淡漠，恶心，呕吐，血压下降，脉搏细弱而快，甚则精神错乱，不省人事，肌肉痉挛等症。西医学中的热痉挛、热衰竭、热射病、日射病等均可参照本病治疗。

治 疗

1. **足区按摩**：头（1） 小脑（3） 胸部淋巴（41） 胃（15） 肾上腺（21） 内耳迷路（42） （图117）

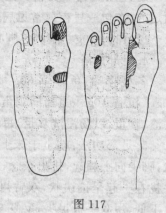

图 117

2. 足穴针灸

（1）经穴针灸：解溪 内庭 涌泉 足通谷 毫针泻法，强刺激，捻转 5 分钟后，留针 30 分钟，每 3～5 分钟捻转 1 次，血压低者，灸涌泉穴。

（2）奇穴针灸：足心 大趾聚毛 小趾尖 气端 泻法，强刺激，留针 20 分钟。

（3）足象针针灸：取胫倒脏、腓倒脏相应的心、肾、头、面部位，如四肢肌肉痉挛者，加胫倒象、腓倒象的相应颈、腰、四肢部位。行大的提插捻转，留针 20 分钟。

高 血 压

高血压病是以动脉血压增高，持续超过 21.3/12.7kPa 为主要临床特征的疾患。属中医学"眩晕"、"肝风"等范畴。情志失调，长期忧思、恼怒，肝气内郁，饮食失节，恣食肥甘厚味或饮酒过度，肾精不足，肝失所养，而致本病。本病兼见头晕、头痛、头胀、头沉或颈部板滞感，耳鸣，心慌，手指麻木，面红，烦躁，失眠等症。

中医辨证：偏肝火亢盛者，伴头痛，眩晕，面红目赤，口苦咽干,急躁、易怒,大便干燥,小便短赤,舌红苔黄,脉弦细数;痰浊者见眩晕,上腹部胀满,呕吐痰涎,食欲减退,肢体困重,舌苔白腻,脉弦滑;阴虚阳亢者伴耳鸣,目眩,头重脚轻,急躁易怒,心烦,失眠,腰酸腿软,四肢麻木或手足颤抖,舌质红,少苔,脉弦细;阴虚兼见手足心热,口燥咽干,舌红,少津,少苔,脉弦细数;偏阳虚兼见怕寒肢冷,尿清长,大便溏泻,下肢浮肿,舌淡,脉沉细。

治 疗

1.足区按摩:头(1)　小脑(3)　肾脏(22)　肝脏(18)胆囊(19)　心脏(33)　膀胱(24)　内耳迷路(40)　(图118)

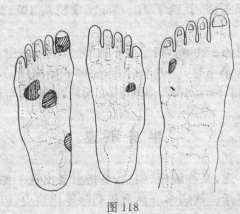

图118

2.足穴针灸

(1)经穴针灸:解溪　太冲　行间　昆仑　申脉　侠溪口渴、咽干加照海;耳聋耳鸣加足窍阴;大便干燥加解溪、大钟。平补平泻,留针20分钟。

(2)奇穴针灸:大趾聚毛　小趾尖　足心　平补平泻,留针 20 分钟,痰浊、阳虚者针后加灸。

(3)足针针灸:心　肾　眩晕点　肝火亢盛者,加肝。中等度捻转,留针 20 分钟。

(4)足象针针灸:取胫倒脏、腓倒脏的相应肝、脾、心、肾、头、面部位。肝火亢盛、痰浊者,行大的提插捻转;阴虚、阳虚者,行小的提插捻转,留针 20 分钟。

3.足部外敷

(1)吴茱萸、川芎各 5g　研为细末,蛋清调如膏,摊于硫酸纸上,敷于头(1)对应区及涌泉穴,胶布固定。

(2)苦瓜藤 10g　灯笼泡 1 把　捣烂敷头(1)对应区、小脑(3)对应区。

4.足部薰浴:茺蔚子 10～15g　桑树皮 10～15g　桑叶 10～15g

上药煎汤 1500ml,稍凉至不烫脚时,倒入盆中,把双脚放入盆内浸泡半小时,一般泡后 30 分钟开始降压,1 小时后作用最强,维持 4～6 小时,浸泡 1～2 次后,血压即可恢复正常。

半身不遂

半身不遂,又称偏瘫、偏枯,是指患者出现一侧肢体瘫痪或活动不灵活。该病多有高血压动脉硬化病史,以老年人多见。中医认为气血亏虚或房室不节,劳累太过,肾阴不足,肝阳偏亢,或因体质肥胖,过食肥甘油腻之食物,湿盛生痰,痰郁生热,由于忧思、恼怒、饮酒、饱食等诱因,发为本病。如病情反复发作,由轻转重,神志不清,失语,二便失禁等症时,不属本篇治疗范畴。辨证:偏于络脉空虚者,见肢软无力,肌肤、手足麻木,突然口眼歪斜,语言不清,口角流涎,患肢手足浮肿,食欲

— 110 —

减退,或大小便失禁,面色萎黄或暗淡无华,舌苔薄白,脉浮数;偏于风阳上扰者,兼见患肢僵硬、筋紧,耳鸣,目眩,失眠,多梦,口苦,咽干,面红,小便短赤,大便干燥,舌红绛,苔薄黄,脉弦硬有力。西医学的脑出血、脑血栓、脑栓塞、脑血管痉挛、蛛网膜下腔出血等多种脑血管疾患引起的半身不遂,均可参照本节治疗。

治 疗

1.足区按摩:头(1) 额窦(2) 小脑(3) 肩(10) 髋关节(38) 垂体(4) 肾上腺(21) 肾脏(22) 心脏(33) 脾脏(34) 膝(35) 肘关节(60) (图119)

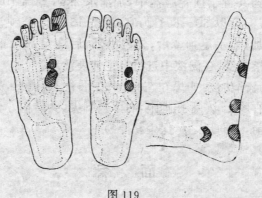

图 119

2.足穴针灸

(1)经穴针灸:解溪 厉兑 丘墟 昆仑 仆参 申脉 涌泉 毫针平补平泻法,留针20分钟,络脉空虚者,针后加灸。

(2)奇穴针灸:下昆仑 大趾聚毛 平补平泻,留针20分钟,络脉空虚者,针后加灸。

(3)足象针针灸:取足伏象、胫倒象、腓倒象相应的头、患肢部位,取胫倒脏、腓倒脏的相应肝、心、脾部位。行小的提插捻转,留针 30 分钟。

3.足部外敷

(1)全蝎 1 条　丹参 5g　延胡索 5g　丹皮 5g　共为细末,白酒调,摊于硫酸纸上,胶布固定足心。

(2)桃仁、栀仁各 5 枚　麝香 0.2g　共研细末,白酒适量调和上药,男左女右涂于足心,外用胶布固定,3 日换药 1 次,忌食辛辣。

4.足部薰浴:中风后手足拘挛:伸筋草、透骨草、红花各 3g　上药共置于搪瓷脸盆中,加清水 2kg,煮沸 10 分钟后取出,药液温度以 50～60℃为宜,浸洗 15～20 分钟,汤液温度低后需加热,手足拘挛后,先浸手部,后洗足部,1 日 3 次,浸洗时手指、足趾在汤液中进行自主伸展活动。

5.足部功法:如患在左脚,坐在平凳上,调息,静心,以左脚盘在右膝上,左手托脚跟,右手扳脚尖,头转向左侧,患右脚方法同前,方向反之(《保生秘要》)。

面　瘫

面瘫俗称"吊线风",西医称"面神经炎"。病人有面部受风寒刺激史,发病突然,清晨刷牙、洗面时发现口角流涎,歪斜。得病初期,患侧耳后、耳内、下颌周围轻度疼痛及压痛,耳廓和外耳道感觉迟钝,味觉减退,听觉过敏,唾液分泌减少,继之患侧额纹消失,不能皱额、蹙眉,眼裂扩大,眼睑不能闭合或闭合不全,试闭眼时,眼球向上转动,露出白色巩膜,下眼皮外翻,泪液溢出,病侧鼻唇沟平坦变浅,口角下垂,口涎外流,鼓腮、噘嘴、吹哨动作困难。脑出血、脑血栓等脑血管意外疾患或失血过多,中耳炎、腮腺炎、风湿性面神经炎、茎乳孔内的骨膜炎、带状疱疹引起的面瘫,在治疗原发病的同时,参照本节治疗。

治　疗

1. 足区按摩:三叉神经(5)　头(1)　耳(9)　额窦(2)肝脏(18)　脾脏(34)　肾脏(22)　眼(8)　(见图120)

2. 足穴针灸

(1)经穴针灸:厉兑　冲阳行间　太冲　泻法,留针20分钟。

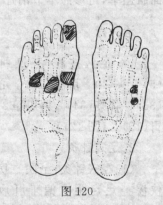

图120

(2)足针针灸:头面　面中等度捻转,留针20分钟。

(3)足象针针灸:取胫倒脏、腓倒脏的相应头、面部位。行小的提插捻转,留针20分钟。

面肌痉挛

面肌痉挛指面部肌肉不自主、不规则地抽搐或跳动,呈阵发性,情绪激动或精神紧张时发作。中医认为,平素性情急躁、易怒或焦虑、忧愁,用脑过度,阴血受耗不能上承营养面部肌肉,肌肉失养而抽搐或跳动。偏于肝风扰面者,伴急躁,易怒,两季肋下胀痛,嗳气,叹息,情志不舒时面肌抽搐复发或加重,舌淡、苔白,脉弦;偏心火上炎者,伴情志忧郁或焦虑不安,饮食减少,失眠,多梦,舌尖红,苔黄,脉细数;偏气血虚弱者,伴周身无力,饮食减少,体重减轻,脑力劳动后面肌抽搐或跳动加重,舌质淡,苔薄白,脉细弱。西医学的面神经麻痹、三叉神经痛、乙脑、流脑、脑血管等神经系统疾病,或精神因素所致的面肌痉挛,可参照本节治疗。

治 疗

1. 足区按摩:三叉神经(5) 头(1) 肝脏(18) 心脏(33) 脾脏(34) 肾脏(22) 胃(15) (图121)

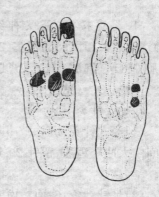

图 121

2. 足穴针灸

(1)经穴针灸:至阴 厉兑 侠溪 足窍阴 偏于肝风扰面、心火上炎者,毫针泻法;偏于气血虚弱者,毫针补法,针后加灸。

(2)足针针灸:面 头面 肝风扰面者加肝,心火上炎者,加心。中等强度捻转,留针30分钟。

(3)足象针针灸:取足伏脏、胫倒脏、腓倒脏的相应头、面部位。肝风扰面、心火上炎者,行大的提插捻转;气血虚弱者,行小的提插捻转。

失 眠

失眠指经常不能获得正常睡眠为特征的一种病证。轻者入睡困难,或睡眠后易醒,醒后不能再睡,或时睡时醒,严重者整夜不能入睡,精神刺激用脑过度,久病体虚,饮食失节,均可引起失眠。偏于心脾两虚者,多梦,易醒,心悸,健忘,神疲乏力,饮食无味,面色少华,舌淡,苔薄,脉细弱;偏于阴亏火旺者,见心烦失眠,头晕,耳鸣,口干津少,五心烦热,舌质红,脉细数,或有梦中遗精,健忘,心悸,腰痛等症;偏于痰热内扰者,见失眠,目眩,胸闷,头重,心烦口苦,苔腻,面黄,脉滑数。西医学中神经官能症,更年期综合征等以失眠为主证的疾患,均可参照本节治疗。

治 疗

1. 足区按摩:额窦(2)甲状旁腺(13) 头(1) 小脑(3) 甲状腺(12) 脾脏(34)肾脏(22) (图122)

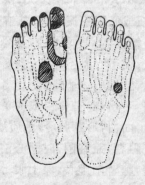

图122

2. 足穴针灸

(1)经穴针灸:申脉 照海 行间 太冲 心脾两虚、阴亏火旺者,补法,痰热内扰者,泻法,留针40分钟,心脾两虚者,针后加灸。

(2)奇穴针灸:失眠穴 足心 小趾尖 中等强度提插捻转,留针40分钟,心脾两虚者,针后加灸。

(3)足针针灸:失眠 心 胃 脾 中等强度捻转,留针30分钟。

(4)足象针针灸:取足伏脏、胫倒脏、腓倒脏的相应心、头、肾、脾部位。行小的提插捻转,留针40分钟。

3.足部外敷:吴茱萸 9g　米醋适量　将吴茱萸捣烂,米醋调成糊状,敷贴于两足涌泉穴,24 小时取下(《穴敷疗法聚方镜》)。

4.足部薰浴:热水 1 盆,令患者睡前热水洗脚 10 分钟,每日 1 次。

心　悸

心悸是病人自觉心中悸动,惊惕不安,不能自主的一种病证。平素心虚胆怯之人,由于突然惊恐,或心血不足,或久病体虚,或心阳不振,或心脉痹阻,均可引起心悸。中医辨证:偏于心气虚者,兼见善惊、易恐,失眠,多梦,舌质淡,苔薄白,脉虚弦;偏于心血不足者,兼见头晕,面色无华,倦怠,舌质淡,苔薄白,脉细弱;偏于心阴虚者,兼心烦,失眠,头晕,手足心热,耳鸣,舌质红,苔薄白或薄黄,脉细数;偏于心阳虚者,兼胸闷气短,面白,形寒肢冷,舌质淡白,苔薄白而滑,脉虚弱;偏于心血瘀阻者,兼胸闷,时而心前区疼痛,或口唇、指甲青紫,舌质紫黯,脾肾阳虚者,兼上腹部胀满,小便短少,或下肢浮肿,口渴但不欲饮水,舌苔白滑,脉象弦滑。西医学的各种心脏病所引起的心律失常及缺铁性贫血、再生障碍性贫血、甲状腺机能亢进、神经官能症等以心悸为主证时,均可参照本节治疗。

治　疗

1.足区按摩:心(33)　肾(22)　脾(34)　头(1)　甲状腺(12)　肾上腺(21)　(图123)

2.足穴针灸

(1)经穴针灸:足临泣　申脉　京骨　太白　然谷　下肢

— 116 —

浮肿者,加陷谷、内庭。偏于心气虚,心血不定,心阳虚,毫针补法,针上加灸;偏心阴虚者,平补平泻;偏于心血瘀阻者,毫针泻法,留针20分钟。

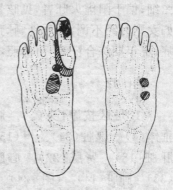

图123

(2)足针针灸:心　心痛点内至阴　行中等程度的捻转,留针20分钟。

(3)足象针针灸:取足伏脏、胫倒脏、腓倒脏的相应心、肾、脾的部位。除心血瘀阻者行大的提插捻转外,其他心悸均行小的提插捻转,留针20分钟。

3.足部功法:端坐,调息,净心,将两手十指交叉,拇指尖相对,用力向前躬腰,以一只脚放在交叉的手中,用力伸脚,然后复原,再换另一只脚放在交叉的手中,反复6次,做功时要屏住呼吸,闭目养神一会儿,把口中唾液分3次咽下,上下牙齿扣动3次(《贮香小品》)。

癔　病

癔病是因情志不遂,气郁伤神而引起的一系列精神症状的疾病。多发于女性,其发作多由精神刺激所引起。临床见痉挛、抽搐、单瘫、偏瘫或截瘫,或大哭大笑,大喊大叫,手舞足蹈,或蹬足捶胸,倒地翻滚或装神扮鬼,娇揉做作。中医辨证:偏于肝郁气滞者,见精神抑郁,情绪不宁,常善太息,胸胁胀痛,或咽中梗阻,咯之不出,咽之不下,舌苔白腻,脉弦滑;偏忧郁伤神者,症见精神恍惚,心神不宁,悲忧善哭,舌淡苔白,脉弦细;偏于阳虚火旺者,见眩晕,睡眠欠佳,心烦,或遗精腰酸,妇女则月经不调,舌质红,脉弦细而数。西医学中的神经官能症,更年期综合征等,可参照本节治疗。

治 疗

1.足区按摩:头(1) 脑垂体(4) 脾脏(34) 胃(15) 肝脏(18) 肾脏(22) 心脏(33) 肺脏(14) (图124)

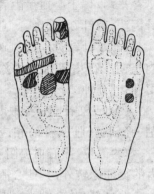

图 124

2.足穴针灸

(1)经穴针灸:肝郁气滞者,针双侧行间或太冲穴 每5分钟提插捻转10次,留针20分钟。

(2)奇穴针灸:内至阴 女膝 泻法,强刺激,留针20分钟。

(3)足针针灸:癫痫点 失眠 偏肝郁者,加肝。中等强度捻转,留针20分钟。

(4)足象针针灸:取足伏脏、胫倒脏、腓倒脏的相应头面、肝、心、肾、脾部位。行大的提插捻转,留针20分钟。

痫 证

痫证是一种发作性神志异常疾病,又名"羊痫风"。西医称癫痫,分为原发性和继发性两种,原发性癫痫病因尚未明确,与遗传因素和脑功能不稳定有关;继发性癫痫,由脑部病变和全身性疾病继发产生,如脑炎、脑膜炎、脑寄生虫病、脑血管疾病、颅内占位性病变、脑外伤、中毒性脑病、心血管疾病、败血症、一氧化碳及农药中毒、尿毒症、低血糖、低血钙。情绪激动、强烈声光刺激，女性月经来潮，过饥或过饱，疲劳等因素可诱发癫痫发作。中医辨证：偏实证者，突然昏仆，不省人事，牙关紧闭，口吐白沫，角弓反张，抽搐颈急有力或有吼叫声，发作后肢体虽酸痛无力，休息后即可恢复正常；偏于虚证者，见癫痫日久，发作频繁，发作时抽搐强度减弱，额有冷汗，呼吸困难，苏醒后精神萎靡，眩晕，心悸，食少，腰膝酸软，表情痴呆，智力减退。

治 疗

1. 足区按摩：头（1）　小脑（3）　肾脏（22）　心脏（33）脾脏（34）　（图 125）

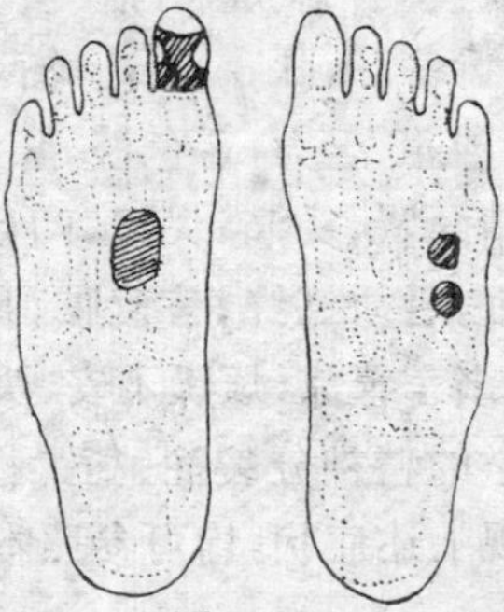

2. 足穴针灸

（1）经穴针灸：厉兑　行间　昆仑　仆参　金门　束骨　解溪　意识丧失，持续昏迷者加涌泉。毫针泻法，未发作时加灸法。

图 125

（2）奇穴针灸：足心　里内庭　实证者，泻法，强刺激；虚证者，补法，留针 20 分钟。虚证者，针后加灸。

（3）足针针灸：癫痫点　心　脾　中等强度捻转，留针 20 分钟。

（4）足针针灸：取足伏象、胫倒象、腓倒象的相应头、颈、腰、四肢部位，取足伏脏、胫倒脏、腓倒脏的相应心、肝、脾、胃部位。行大的提插捻转，留针 20 分钟。

癫　狂

　　癫狂是以精神错乱,语言行为失常为主证的疾病。中医认为癫证发病较缓,多因忧郁日久,情志不遂,耗伤心脾,致心血不足,脾气郁积,生痰,蒙蔽心神,而致神志错乱,而发癫证;狂证发病较急,多因急躁、易怒,伤肝;素有痰火,肝火挟痰上扰神明,故发精神失常而成狂证。偏于痰气郁结型癫证者,见表情淡漠,神志痴呆,语无伦次,多疑,妄想,动作离奇,不知秽洁,舌苔腻,脉弦滑;心脾两虚型癫证者,见神思恍惚,心慌,胸闷,善悲,乏力,舌色淡,脉细无力;偏于痰火上扰型狂证者,见性情急躁,头痛,失眠,两目怒视,打人,毁物,甚则赤身露体,失眠,舌质红绛,苔黄腻,脉弦大滑数;火盛伤阴型狂证者,疲乏,多言善惊,烦躁不安,失眠,消瘦,面红,舌质红,脉细数。西医学的精神分裂症、狂躁性、抑郁性精神病,更年期精神病等出现上述症状,均可参照本节治疗。

治　疗

　　1.足区按摩:头(1)　脑垂体(4)　甲状腺(12)　脾脏(34)　心脏(33)　肝脏(18)肾脏(22)　(图126)

　　2.足穴针灸

　　(1)经穴针灸:仆参　足通

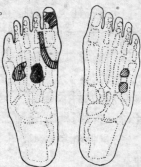

图126

谷　商丘　照海　申脉　痰郁、痰火上扰者,毫针泻法,强刺激;心脾两虚、火盛伤阴者,平补平泻,中等刺激;痰郁、心脾两虚者,针后加灸。

（2）奇穴针灸：女膝　泻法，强刺激，留针 20 分钟。

（3）足针针灸：失眠　肾　肝　心　中等度捻转，留针 20 分钟。

（4）足象针针灸：取足伏脏、胫倒脏、腓倒脏的相应头、面、肝、心、脾、肾部位。行大的提插捻转，留针 20 分钟。

胃　痛

胃痛中医称"胃脘痛"，是指上腹、胃脘部近心窝处疼痛的疾患。常因感受寒邪或饮食生冷，寒积于胃或暴饮暴食、饮食不规律，饥饱无常，过食辛辣，或情志不舒，恼怒致肝气犯胃出现胃痛。偏于寒者，胃痛剧烈，喜暖，得温热疼痛减轻，口不渴，或喜热饮，或吐清水痰涎，舌苔白，脉弦紧；偏于食积者，胃部胀满，疼痛，拒按，厌食，恶心，呕吐，吐后痛减，排便排气酸臭，舌苔厚腻，脉弦滑；偏于肝郁者，胃脘胀痛，痛连两侧季胁，每因精神刺激疼痛加重，胸闷，饮食减少，呕吐酸水，舌苔薄白，脉弦；偏于血瘀者，胃部刺痛，固定不移，疼痛拒按，食后痛剧，或吐血，黑便，舌质紫黯，脉细涩。西医学中的急慢性胃炎、胃十二指肠溃疡、胃痉挛及胃肠神经官能症、无器质性改变的剧烈胃痛，均可参加本节治疗。

治　疗

1. 足区按摩：胃（15）　十二指肠（16）　脾脏（34）　下身淋巴（40）　腹腔神经丛（20）　（图 127）

2. 足穴针灸

（1）经穴针灸：公孙　大都　太白　行间　至阴　毫针泻

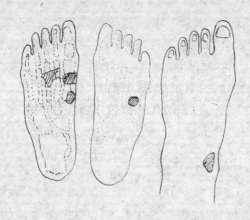

图 127

法,留针 20 分钟,偏于寒者,针后加灸。

(2)足针针灸:胃 胃肠点 脾 小肠 中等度捻转,留针 20 分钟,偏寒者,针后加灸。

(3)足象针针灸:取足伏脏、胫倒脏、腓倒脏的相应胃、脾、十二指肠部位。行大的提插捻转,不留针。

3. 足部功法:端坐在凳上或床上,两腿伸直,以足跟着地(或着床),足趾向上翘起,以两手指握足五趾,然后上身恢复原位(《古今医统》)。

胃 下 垂

胃下垂指胃全部(胃大弯和胃小弯)下降至不正常位置。常因先天腹腔脏器支持韧带松弛所致,或后天久病体虚,或身体瘦弱、胸廓狭长的人,或因某种原因胸廓或上腹部经常受压,体质素胖而骤瘦及多产妇女,易患此病。中医认为,经常暴饮暴食,或饭后剧烈运动及情志所伤,元气亏损,中气下陷,易发此病。临床表现为腹部胀满,有下坠感,食后加重,平卧减轻,或恶心,呕吐,便秘,偶见腹泻,或腹泻与便秘交替出现,便形失常,呈扁而短,伴头昏,眩晕,血压偏低等全身衰弱表现。偏于肝郁者,伴急躁易怒,两季胁下胀痛,情志抑郁或恼怒后病情加重,舌质淡,苔白或薄黄,脉弦;偏气血不足者,伴周身疲乏无力,食欲减退,干呕或呃逆,舌质淡,苔白,脉细弱。

治 疗

1.足区按摩:胃脏(15)
肾脏(22) 十二指肠(16) 小
肠(25) 升结肠(28) 横结肠
(29) 降结肠(30) (图128)

2.足穴针灸

(1)经穴针灸:冲阳 商丘
内庭 隐白 肝郁者加太冲。
泻法,气血不足者补法,留针
20分钟。

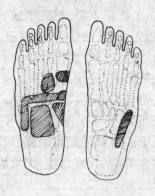

图128

(2)足针针灸:胃 脾 胃肠点 肝郁者加肝。行中等度捻转,留针20分钟,气血不足者,针后加灸。

(3)足象针针灸:取足伏脏、胫倒脏、腓倒脏的相应胃、脾、肾、肝部位。行小的提插捻转,留针30分钟。

3.足部功法:端坐在凳上或床上,两腿伸直,以足跟着地(或着床),足趾向上翘起,以两手指握足五趾,然后上身恢复原位(《古今医统》)。

呃 逆

呃逆,亦称膈肌痉挛或"打膈",是指胃气上逆出于喉间,呃声连作,声短而不能自制为主的病证.轻者呃逆持续数分钟至数小时后不治自愈;病情较重者,可昼夜不停或间歇发作,迁延数日至数周不愈.中医辨证:偏于胃寒者,呃逆声沉缓有力,上腹部不舒,得热则减,得寒则呃逆加重,饮食减少,口不渴,舌质淡,苔白润,脉迟缓;偏于胃热者,呃逆声洪亮,连续有力,口臭,喜冷饮,面红,舌质红,苔黄,脉滑数;偏于气郁者,伴胸胁胀满,因情志不舒或恼怒而呃逆发作,情志转舒则稍缓,头目昏眩,舌质淡,苔薄腻,脉弦而滑;偏于正气虚者,呃逆声低而无力,手足不温,食少,乏力,舌质淡,苔薄白,脉细弱.西医学的胃肠神经官能症、胃炎、胃扩张、胃溃疡、肝硬变晚期、脑血管疾病、尿毒症、严重感染所诱发的呃逆,可参照本节治疗.

治 疗

1.足区按摩:腹腔神经丛(20) 甲状旁腺(13) 横隔膜(44) 胃(15) 肾脏(22) 十二指肠(16) (图129)

2.足象针针灸:取足伏脏、胫倒脏、腓倒脏的相应胃、脾、肾、肝部位.胃寒、胃热、气郁者,行大的提插捻转;正气虚者,行小的提插捻转,留针20

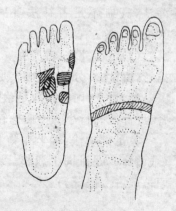

图 129

分钟;胃寒、正气虚者,针后加灸。

胁　痛

　　胁痛是以一侧或两侧胁肋疼痛为主要表现的疾患。中医认为本病多因营养不足,极度疲劳,思虑过多,情志不遂;或伤于酒食,积湿生热;或感受外邪,移于肝胆;或跌仆闪挫;或久病精血亏损,肝络失养,均可引起胁痛。偏于肝郁者,两季肋下疼痛,或左或右,心情舒畅时,疼痛减轻或消失,反之则疼痛复发或加重,心烦易怒,睡眠欠佳,舌苔薄,脉弦;偏于湿热者,胁痛多见于右侧,口苦,胸闷,恶心,呕吐,目红或目黄,身黄,小便黄赤,舌苔黄腻,脉弦;偏于瘀血者,胁痛固定不移,入夜更甚,或有跌仆损伤病史,胁肋疼痛拒按,或有痞块,舌质紫暗,脉象沉涩;偏于阴虚者,胁肋隐痛,痛无定处,劳累和体位变动时疼痛明显,面色少华,心中烦热,头晕目眩,舌红,少苔,脉细数。西医的肝、胆囊、胸膜等急慢性疾患及肋间神经痛等,均可参照本节治疗。

　　治疗

　　1.足区按摩:肝脏(18)
胆囊(19)　脾脏(34)　胃(15)
腹腔神经丛(20)　(图130)

　　2.足穴针灸

　　(1)经穴针灸:行间　太冲
丘墟　足临泣　足窍阴　肝
郁、血瘀者,毫针泻法;阴虚者,
平补平泻。

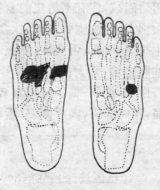

图130

（2）足象针针灸：取足伏脏、胫倒脏、腓倒脏的相应肝、胆、胸、肾部位。湿热、瘀血者，行大的提插捻转；阴虚者，行小的提插捻转，留针20分钟。

4.足部功法：胆腑导引法：取坐位，调息，静心，将两足掌相合，用两手将两足踝部向上搬起，再恢复原位，上下摇动共15次，搬起时头向后仰，可驱除胆腑邪气，治胆病引起的胁痛（《遵生八笺》）。

腹　　泻

腹泻，中医称之泄泻，是指排便次数增多，粪便清稀为主证的疾患，夏秋两季多见。常因感受湿热之邪，或饮食不节，过食肥甘油腻之品及精神刺激，长期饮食失调，劳倦内伤，导致脾胃虚弱引起腹泻。偏于寒湿者，见大便清稀，甚至如水样，腹痛肠鸣，饮食减少，苔薄白或白腻，脉濡缓；偏于湿热者，见腹痛，腹泻，泻下急迫，排便不爽，粪色黄褐而臭，肛门灼热，舌苔黄腻，脉濡数或滑数；偏食积者，见腹痛肠鸣，泻下粪便酸臭，泻后痛减，伴有不消化的食物，舌苔垢浊或厚腻，脉滑；偏肝气乘脾者，症见胸胁胀闷，饮食减少，情志抑郁或情绪紧张时，发生腹痛，腹泻，舌淡红，脉弦；偏于脾胃虚弱者，症见腹泻，稍进油腻之物，则大便次数增多，饮食减少，而色萎黄，肢倦，舌淡苔白，脉细弱；偏于肾阳虚者，症见腹泻多在黎明之前，腹部作痛，肠鸣即泻，泻后则安，舌淡苔白，脉沉细。

治　疗

1.足区按摩：脾脏（34）　胃（15）　肝脏（18）　肾脏（22）升结肠、横结肠、降结肠（28、29、30）　（图131）

2.足穴针灸

(1)经穴针灸:解溪　内庭　厉兑　然谷　隐白　大都　公孙　商丘　除肾阳虚之外均用毫针泻法;肾阳虚者用补法,留针 20 分钟;偏寒湿、偏肾阳虚者,针后加灸。

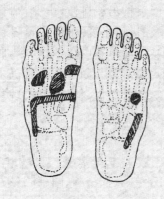

图 131

(2)奇穴针灸:阴阳　然后除脾胃虚弱、肾阳虚外均可用泻法,脾胃虚弱、肾阳虚者用补法,留针 20 分钟。

(3)足针针灸:胃肠点　大肠　小肠　脾　行中等度捻转,留针 20 分钟。

(4)足象针针灸:取足伏脏、胫倒脏、腓倒脏的相应脾、肾、肝、大肠部位。除脾胃虚弱、肾阳虚用小的提插捻转外,各种腹泻均可行大的提插捻转,留针 20 分钟,寒泻、脾胃虚弱、肾阳虚者,针后加灸。

细菌性痢疾

细菌性痢疾简称"菌痢",是由痢疾杆菌引起的肠道传染病,多发于夏、秋两季,属中医"痢疾"范畴。常因食入痢疾杆菌污染的食品后,当人体过度疲劳,暴饮暴食,或平素好食油腻之品,或原有消化道疾患,降低了全身及胃肠道的防病能力,痢疾杆菌侵入肠粘膜,不断繁殖,产生内毒素,引起痢疾。临床症状:接触菌痢或食入不洁食物后,恶寒、发热、腹痛、腹泻(一日十余次至数十次),里急后重,伴恶心、呕吐,大便初成水样,以后排出脓血便，量少，粘稠，鲜红色或粉红色，得病后治疗不及时，可出现发热，头晕，疲乏无力，甚则高热，精神萎靡，烦躁甚则面色苍白，四肢厥冷，血压下降，昏迷，惊厥，紫绀，呼吸衰竭等危象。如2个月后仍未治愈，反复发作或持续慢性腹泻，大便有脓血，粘液，可出现贫血，营养不良、消瘦等症状。

治疗

1.足区按摩：上身淋巴（39） 下身淋巴（40） 小肠（25）升结肠、横结肠、降结肠（28、29、30） 直肠（31） （图132）

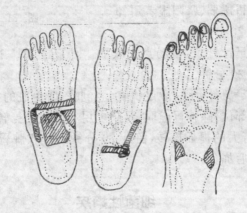

图 132

2.足穴针灸

（1）经穴针灸：公孙 束骨 内庭 太白 商丘 如高热、血压下降，加涌泉。毫针泻法，如持续慢性腹泻者，毫针补法，针后加灸，留针20分钟。

（2）足针针灸：小肠 大肠 中等度捻转，留针20分钟。

（3）足象针针灸：取足伏脏、胫倒脏、腓倒脏的相应大肠、小肠、肛门、直肠部位。行大的提插捻转,留针 20 分钟。

3.足部外敷

(1)大蒜适量　捣烂,贴双足心(《本草纲目附方分类选编》)。

(2)吴茱萸 6g　研为细末,醋调成膏,敷神阙(肚脐)和双足涌泉穴(《腧穴敷药疗法》)。

便　　秘

便秘,是指大便干结不通,排便时间延长,或欲大便而艰涩不畅,排便困难的疾患。中医认为,素体阳盛,或饮酒过多,过食辛辣油腻之品;或因忧愁思虑过度,久坐少动,或疲劳过度,病后、产后,及年老体弱之人,均可致大肠传导功能失常,导致便秘。临床表现:以便秘为主证。偏热者见大便干结,数日不排大便,腹痛拒按,或兼身热面赤;偏寒者见数日不排大便,欲便时排出困难,腹中冷痛,畏寒肢冷;偏气滞者见嗳气频作,欲便不能,腹中胀痛;偏气虚者见大便不干硬,虽有便意,而排便无力,便后疲惫;偏血虚者,见大便干结,排出困难,数日排便 1 次,面色无华,头晕,心悸;偏阴虚者,见大便干结,口干咽燥,体瘦,颧红,午后低热;偏阳虚者,见大便艰涩,排出困难,四肢不温,畏寒喜暖。

治　疗

1.足区按摩:直肠(31)　肛门(32)　升结肠、横结肠、降结肠(28、29、30)　(图133)

2.足穴针灸

(1)经穴针灸:解溪　内庭　公孙　商丘　然谷　偏寒、

热、气滞者，毫针泻法，强刺激；偏阳虚、阴虚、血虚、气虚者，毫针，平补平泻；偏寒、阳虚、血虚、气虚者，针后加灸，留针20分钟。

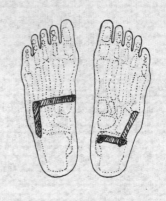

图133

（2）足象针针灸：取足伏脏、胫倒脏、腓倒脏的相应大肠、肛门、直肠部位，气滞者，加胫倒脏、腓倒脏的相应肝部。偏寒、热、气滞者，行大的提插捻转；偏气虚、血虚、阴虚、阳虚者，行小的提插捻转，留针20分钟。

糖 尿 病

糖尿病是由于胰岛功能减退而引起的碳水化合物代谢紊乱。中医称之"消渴"，常因情志失调，过食油腻，饮酒吸烟，先天不足，肾阴素虚，房劳太过，或病后失调，而致本病发生。临床表现多饮、多食、多尿，体重减少等症状，兼有高血压、冠心病、脑出血、脑血栓、脑梗塞、四肢坏疽，行走困难。偏于上消者，兼见心烦，口渴，多饮，口干，舌燥，尿频，量多，舌边尖红，苔薄黄，脉洪数；偏中消者，多食易饥，胃部不适，汗多，消瘦，便秘，舌苔黄燥，脉滑数，小便多混黄；偏于下消者，兼见小便次数，尿量明显增多，尿液混浊，渴而多饮，头晕，多梦，遗精，腰酸，皮肤干燥，全身瘙痒，舌质红，少苔，脉细数。严重时出现面色黧黑，耳轮焦干，四肢欠温，饮水量与尿量相等等重危症状。

治 疗

1.足区按摩:胰腺(17)
脑垂体(4) 胃脏(15) 肾脏
(22) 肾上腺(21) 肺(14)
膀胱(24) (图134)

2.足穴针灸

(1)经穴针灸:太溪 然谷
行间 照海 中封 隐白 商
丘 毫针,留针20分钟,平补
平泻。

图 134

(2)足象针针灸:取足伏脏、胫倒脏、腓倒脏的相应胰、肾、
脾、胃、膀胱、心部。小的提插捻转,留针20分钟。

3.足部功法:口干导引法:取坐位,调息入静。用手搓左右
足心的涌泉穴各36次,每日按时做该功,口中有津液时缓缓
咽下,咽6次后重复上述动作数次。再练运动,舌尖轻托上腭,
意想悬雍垂,意想悬雍垂后有一盅凉水,渐提入口,再缓缓咽
下(《保生秘要》)。

眩 晕

眩是眼花,晕是头晕,二者常同时并见,故称"眩晕",轻者
闭目后眩晕症状消失,重者如坐车船,旋转不定,不能站立。中
医认为常因阴虚、肝风内动、脑失所养、精亏髓海不足,或因痰
浊壅遏,化火上蒙导致眩晕发生。偏于肝阳上亢者,伴耳鸣,头
胀痛,因恼怒加重,口苦,失眠、多梦、舌红、苔黄、脉弦;偏于气
血亏虚者,伴心慌胸闷,失眠,全身乏力,劳累后复发或加重,

面白,舌质淡,脉细弱;偏于肾精不足者,伴记忆力减退,腰酸,双下肢无力,遗精,耳鸣;偏阳虚者,四肢不温,舌淡,脉沉;偏阴虚者,手足心热,心烦,舌红少苔,脉弦;偏于痰浊者伴头重,恶心,呕吐,胸闷,食少,困倦,多眠,舌苔白腻,脉濡滑。西医学的内耳性眩晕、脑动脉硬化、高血压、贫血、神经衰弱及某些脑部疾患,以眩晕为主证时,可参照本节治疗。

治 疗

1.足区按摩:头(1)　小脑(3)　脑垂体(4)　内耳迷路(42)　额窦(2)　肾脏(22)(图135)

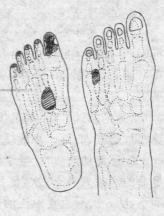

图135

2.足穴针灸

(1)经穴针灸:昆仑　申脉　行间　太冲　解溪　平补平泻,留针20分钟,肾精不足、气血亏虚、肾阳虚者,针后加灸。

(2)奇穴针灸:小趾尖　足心　大趾聚毛　肝阳上亢、痰浊者,泻法;气血亏虚、肾精不足、阳虚、阴虚者,补法,留针20分钟。

(3)足针针灸:肾　眩晕点　肝阳上亢者加肝,痰浊者加肺、脾。中等度捻转,留针20分钟,气血亏虚、肾精不足、痰浊、阳虚者,针后加灸。

(4)足象针针灸:取足伏脏、胫倒脏、腓倒脏的相应肾、心、肝、脾部位。小的提插捻转,留针20分钟。

3.足部外敷:肝阳上亢:吴茱萸(胆汁拌制)100g　龙胆草50g　土硫黄20g　朱砂15g　明矾30g　小蓟根汁适量　先

将前五味药为末,过筛,加入小蓟根汁,调和成糊,敷于神阙(肚脐)、涌泉双穴位,每穴用 10～15g,固定,2 日一换,1 月为1 个疗程,一般 7～10 天见效,2～3 个月可愈(《穴位贴药疗法》)。

4.足部薰浴:夏枯草 30g 钩藤 20g 桑叶 15g 菊花20g 上药共煎水洗脚,每日 1～2 次,每次 10～15 分钟,10～15 日为 1 个疗程(《中国民间疗法》)。

阳　痿

阳痿,中医称之"阳器不用",是指青壮年男子临房时,阴茎萎弱不用或举而不坚,不能进行正常的性生活的疾患。常因强烈的情绪波动、脑力和体力活动过度,性交失败的恐惧心理和其他精神刺激,长时间的性生活过度频繁,或青少年误犯手淫及生殖器官病变,均可导致阳痿。临床上偏于肾气虚者,兼见精神萎靡,腰膝酸软,精液稀而清冷,舌质淡,苔薄白而滑,脉沉细;偏于心脾气虚者,兼见精神不振,面色无华,饮食欠佳,舌质淡,苔薄腻,脉细;偏于惊恐伤肾者,兼见精神苦闷,胆怯多疑,心慌,胸闷,舌质淡,苔薄腻,脉弦细;偏于湿热者,兼见阴囊湿润,小腹坠胀,下肢酸重,小便短赤,舌质淡,苔黄,脉沉滑。西医学的生殖器官缺陷、生殖器官的慢性炎症,内分泌系统的器质性病变,中枢神经肿瘤损伤引起的性机能障碍所致的阳痿,均可参照本节治疗。

治 疗

1.足区按摩:生殖腺(36) 阴茎(51) 腹股沟(49) 垂体(4) 前列腺(50) 肾上腺(21) 肾脏(22) (图 136)

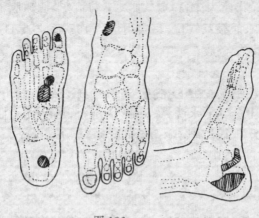

图 136

2. 足穴针灸

足象针针灸:取足伏脏、胫倒脏、腓倒脏的相应肾、心、脾、膀胱部位。小的提插捻转,留针 20 分钟,除偏于湿热者外,均可针后加灸。

遗 精

遗精又称失精,指不因性生活,每 3～5 天甚则 1～2 天发生精液自出者,称之遗精。中医认为,本病由于早婚或房劳过度,或屡犯手淫,或先天肾气不足,或劳心过度,思虑不遂,或过食油腻之品,酗酒,吸烟,致脾胃湿热内生,引起遗精。偏于阴虚者,表现为梦中遗精,头晕,耳鸣,睡眠不安,精神萎靡,体倦乏力,舌尖红,脉细数;偏于肾失封藏者,见遗精频作,头昏,目眩,**腰酸**,面色少华,畏寒肢冷,舌质淡,苔薄白,脉沉细弱;偏于湿热者,见遗精频作,或尿时少量精液外流,小便热而浑浊,心烦,睡眠欠佳,口干或口苦,口渴但不多饮,舌苔黄腻,脉象濡数。西医学中性神经官能症,由前列腺、尿道、精阜、睾丸、附睾,包皮部位的急慢性炎症刺激引起的遗精,均可参照本节治疗。

治 疗

1.足区按摩:肾脏(22)　肝脏(18)　脾脏(34)　胃(15)　心脏(33)　生殖腺(36)　(图 137)

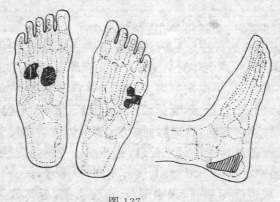

图 137

2.足穴针灸

(1)经穴针灸:公孙　至阴　然谷　太溪　中封　偏于阴虚、肾失封藏者,毫针补法;偏于湿热者,毫针泻法,留针 20 分钟;肾失封藏者,针后加灸。

(2)奇穴针灸:曲尺　平补平泻,留针 20 分钟。

(3)足象针针灸:取足伏脏、胫倒脏、腓倒脏的相应的肾、脾、心部位。行小的提插捻转,留针 20 分钟。

3.足部薰浴:各类遗精,清水适量　加热至 50～60℃,倒入木桶内或瓷盆内,患者正坐,脱去鞋袜,赤足在热水中浸洗,每次 8～10 分钟,每晚睡前 1 次,睡前要保持心境平静(《中国民间疗法》)。

4. 足部功法:临睡前,将两手掌互擦令热,以左手掌擦右足心,再用右手擦左足心,最后擦背部的肾俞穴,再侧身屈上腿而睡,可以固精。

淋　证

淋证是以小便次数增多,排尿不净,尿道涩痛,小腹拘急为主证的疾患。中医认为外邪侵袭或过食辛辣、油腻的食物,或嗜酒太过,或老年肾气衰弱,或久病脾肾两虚,均可引起淋证。热淋者,见小便次数增多,排出不爽,量小,色黄浑浊,尿路灼热疼痛,小腹坠胀,舌质红,苔黄腻;石淋者,小腹及尿路胀痛,或针刺样疼痛,排尿时而中断,变换体位后小便畅通,尿中常有砂石排出,尿色黄或带血,舌苔白或黄腻,脉弦数,结石位于尿路中上段可出现腰部、腹部剧痛;血淋者,尿急,小便次数增多,尿道涩而刺痛,尿中带血,小腹微胀,舌苔黄腻,或舌红少苔,脉细数;气淋者,小腹部两侧及会阴部胀痛,排尿无力,点滴而下,尿意频,少气懒言,舌质淡,脉细弱;膏淋者,小便混浊,如米泔,上有浮油,沉淀后有絮状物或夹凝快、血丝、血块,排尿不畅,口干,苔白腻,脉濡数。西医学的急慢性尿路感染、结石、结核,急慢性前列腺炎及乳糜尿患者,类似以上症状者,均可参照本节治疗。

治　疗

1. 足区按摩:肾(22)　膀胱(24)　输尿管(23)　甲状旁

腺(13)　下身淋巴(40)　胃(15)　肺脏(14)　前列腺(50)
(图 138)

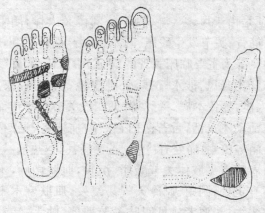

图 138

2.足穴针灸

(1)经穴针灸:尿道结石之疼痛:双侧太溪穴　中强刺激,留针 30～90 分钟(《中国针灸》1986:(5):21)

(2)足针针灸:膀胱　肾　遗尿　中等度捻转,留针 20 分钟。

(3)足象针针灸:取足伏脏、胫倒脏、腓倒脏的相应肾、膀胱、输尿管部位。行大的提插捻转,留针 20 分钟。

3.足部外敷:血淋,莴苣菜 1 握　黄柏 10g　将莴苣菜去泥,不用水洗,与黄柏混合,捣融如膏,胶布固定于涌泉穴。

4.足部功法

诸淋导引法:取下蹲位,臀部离地 33cm 左右,两手以外侧经膝弯下由小腿内侧伸到足背上,立即用手各握一足的五趾,尽力握 1 次,使五趾向内弯(《诸病源候论》)。

痹 证

痹证是由于风、寒、湿、热等外邪侵袭人体,闭阻经络,导致肌肉、筋骨、关节发生酸痛、麻木、重着、屈伸不利,甚或关节肿大、灼热等为主要临床表现的病证。中医认为,正气不足,劳累之后,汗出当风,涉水冒寒,久卧湿地,以致风、寒、湿、邪乘虚侵入人体,导致本病。行痹者见四肢关节走串疼痛,痛无定处,患肢活动不灵活,舌苔薄白,脉浮;痛痹者,见四肢肌肉关节疼痛,痛势较剧,痛处有冷感,遇寒痛甚,遇热痛减,舌苔白,脉弦紧;着痹者见肢体关节酸痛、沉重,肌肤微肿,不红,活动不便,痛有定处,阴雨、风冷天气易复发,肌肤麻木不仁,舌苔白腻,脉濡缓;热痹者症见四肢关节酸痛,肿大,活动受限,伴发热、多汗而热不退,舌苔厚腻而黄,脉象濡数。西医学的风湿热、风湿性关节炎、肌纤维织炎等可参照本节治疗。

治 疗

1.足区按摩:脾脏(34)　胃(15)　肾脏(22)　肺脏(14)
上身淋巴(39)　下身淋巴(40)　胸部淋巴(41)　肾上腺(21)
依四肢病变部位,选加适当的对应区(图 139)

2.足穴针灸

(1)经穴针灸:解溪　昆仑　仆参　申脉　金门　商丘
毫针泻法,留针 20 分钟,除热痹外,均可针后加灸。

(2)奇穴针灸:下昆仑　气端　平补平泻,留针 20 分钟,
除热痹外,均可针后加灸。

(3)足象针针灸:取足伏脏、胫倒脏、腓倒脏的相应疼痛部位。行大的提插捻转,留针 20 分钟,除热痹外,针后加灸。

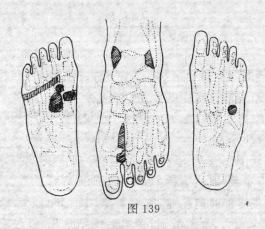

图 139

3. 足部外敷

(1)下肢痛:吴茱萸 31g　生姜 3g　研末,酒炒热,包患者足心(双)(《方药集》)。

(2)行、痛、着痹:吴茱萸 16g　大蒜 1 头　共捣烂,包患侧足心(《方药集》)。

4. 足部功法

(1)风痹候导引法:取仰卧位式,两臂自然伸展,放于体侧,两腿自然伸直,以鼻呼吸,作深呼吸 7 次。然后两足划圈,左右足各作 30 次(《诸病源候论》)。

(2)风痹候:用右足跟勾左足踇趾,可去风痹;用左足跟勾住右足踇趾,可去厥痹;用两手交替拉两脚背放在膝盖上,可去体痹。

(3)瘫痪导引法:如患在左腿,左在平凳上,调息、静心,以左脚盘在右膝上,左手托脚跟,右手扳脚尖,头转向左侧,患在右腿方法同前,方向反之(《保生秘要》)。

肩关节周围炎

肩关节周围炎简称肩周炎,中医称冻结肩,五十肩,漏肩风,是肩关节周围软组织的无菌性炎症,50岁左右多见,女性多于男性。常因肩周软组织的退行性变,感受风寒湿邪及提重物伤筋脉;或因动作失度,或内分泌机能紊乱导致本病。临床表现:肩部周围疼痛,或牵涉上臂及前臂,无固定痛点,夜间疼痛加重夜不能眠,或从熟睡中痛醒,活动时疼痛加重。病程较长者,可出现肩部肌肉萎缩,肩部僵硬。中医辨证:偏气血不足者,伴见疲乏无力,食欲减退,劳累后病情加重,患肢麻木,舌质淡,苔白,脉细弱;偏寒湿者,伴畏寒,怕冷,遇温热痛减,喜按喜揉,自觉患肢发凉,舌淡,苔白,脉沉;偏闪挫者,伴患处疼痛拒按,有闪挫病史,或舌有瘀点,脉弦或涩。

治 疗

1. 足区按摩:肩(10) 肘关节(60) 斜方肌(11) (图140)

2. 足穴针灸

(1)经穴针灸:昆仑 京骨 厉兑 丘墟 气血不足者留针20分钟,毫针补法;寒湿及闪挫者,毫针泻法,强刺激。

(2)足针针灸:坐骨$_1$ 中等强度捻转,留针20分钟,气血不足、寒湿者,针后加灸。

(3)足象针针灸:取足伏象、胫倒象、腓倒象的相应肩部。寒湿、闪挫者,行大的提插捻转;气血不足者,行小的提插捻转,留针20分钟。

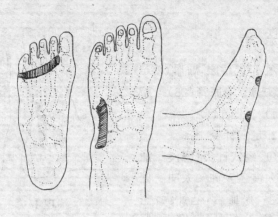

图 140

腰　痛

腰痛是自觉腰部一侧或两侧疼痛为主要症状的疾患。中医学认为,感受风寒,闪挫跌仆,扭伤筋脉,精血亏损,经络失养,均可引发腰痛。偏于寒湿腰痛者,见腰部冷痛重着,活动不利,遇阴雨天疼痛加重,休息后痛不减反加重,遇热痛减,舌苔白腻,脉迟缓;偏于瘀血者见腰痛剧烈,痛如针刺痛处固定,按之痛甚,白天痛轻,夜间痛重,轻则俯仰不便,重则痛剧不能转侧,舌紫黯有瘀斑,脉涩。偏于肾虚者,见腰腿酸软疼痛,腰膝无力,喜揉喜按,久立或过劳则疼痛加重,肾阳虚者兼见面色㿠白,怕冷,四肢不温;肾阴虚者兼见面色潮红,心烦,失眠,口燥咽干,手足心热,舌红,脉弦细数。西医学的肾脏疾病,风湿病、类风湿病、腰部肌肉骨骼的劳损,外伤,炎症等,引起的腰痛,可参照本节治疗。

治 疗

1. 足区按摩：肾脏（22）
腰椎（55） 输尿管（23） 膀
胱（24） （图141）

2. 足穴针灸

（1）经穴针灸：解溪 涌
泉 太溪 大钟 太冲 偏
于寒湿、瘀血者，毫针泻法；
肾虚者，毫针补法；寒湿、肾

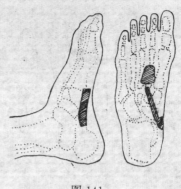

图 141

虚者，针后加灸；瘀血腰痛者，加刺束骨穴，留针期间，帮助患
者作仰卧起坐活动，拔针后，作轻度旋转腰部，前伏后仰动作。

（2）奇穴针灸：下昆仑 泉生足 寒湿、瘀血者，泻法，肾
阴虚、肾阳虚者，补法，留针20分钟，寒湿、肾阳虚者，针后加
灸。

（3）足针针灸：腰痛点 腰腿点 肾 坐骨神经₁ 中等
度捻转，留针20分钟，寒湿、肾阳虚者，针后加灸。

（4）足象针针灸：取足伏象、腓倒象、胫倒象的相应腰部，
如肾阴虚、肾阳虚者，取胫倒脏、腓倒脏的相应肾部。行小的提
插捻转，留针20分钟。

3. 足部功法

腰痛导引法：取坐位，将两脚伸平，足五趾朝上，以两手五
指抚摸足五趾上。

坐骨神经痛

坐骨神经痛是指坐骨神经通路及分布区的疼痛。即在臀

部大腿后侧、小腿后侧和足外侧的疼痛。中医认为,常因正气虚弱,外受寒湿,闪挫,跌倒,劳伤均可引发本病。临床症见:单侧痛多见,先有下背部酸痛及腰部僵直感,数日后出现坐骨神经通路疼痛。疼痛呈烧灼性痛,刺痛,钝痛,弯腰活动后或夜间加剧。偏于寒湿者兼见:自觉全身沉重,腰、腿部重着,强硬酸痛交作,小腿外侧受足背肌肤麻木,喜暖畏寒,舌苔白腻,脉沉;偏于瘀血阻滞者,多有腰部外伤史,疼痛如刺,腰部活动不利,入夜痛重,舌紫黯,脉涩;偏于正气不足者,症见疼痛反复发作,每遇劳累痛剧,休息后痛减,喜按喜揉,腰腿乏力,面色无华,脉沉细。西医的腰椎间盘突出症、梨状肌综合征、骶髂关节疾患、髋关节炎、盆腔内子宫附件炎、脊柱炎、椎管肿瘤、腰肌劳损引起的坐骨神经痛,可参照本节治疗。

治 疗

1.足区按摩:坐骨神经(58)　腰椎(55)　骶椎(56)　膝关节(35)　肾脏(22)　脾脏(34)　(图142)

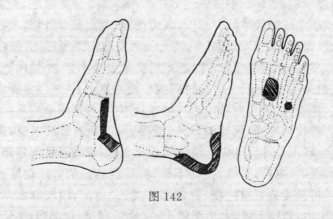

图 142

2.足穴针灸

（1）经穴针灸：昆仑　仆参　申脉　金门　束骨　寒湿、瘀血者，泻法；正气不足者，补法，留针20分钟；寒湿、正气不足者，针后加灸。

（2）足针针灸：臀　腰腿点　坐骨$_1$　坐骨$_2$　中等度捻转，留针15分钟。

（3）足象针针灸：取足伏象、胫倒象、腓倒象的相应坐骨神经、臀部位。大的提插捻转，留针20分钟。

3.足部功法

瘫痪导引法：如患在左腿，坐在平凳上，调息，静心，以左脚盘在右膝上，左手托脚跟，右手扳脚尖，头转向左侧，患右腿方法同前，方向反之，用力扳（《保生秘要》）。

颈　椎　病

颈椎病中医称"颈项痛"、"肩臂痛"，西医称颈椎综合征。多发于中、老年。中医认为，中老年患者因肝肾不足，气血渐亏，加之长期伏案低头工作，久劳伤筋；或因颈部外伤，或因感受风寒湿邪，邪入经络，经气受阻而发病。颈型症见：颈项疼痛，多发一侧颈项部，常因睡眠时头颈姿势不当，感受风寒，或扛抬头项重物，低头伏案时间过长而诱发，呈持续性疼痛或刺痛，伴颈部僵硬，头部转动时可闻及声响；神经根型症见：颈肩痛，肩枕部疼痛，颈部硬，活动受限，一侧颈肩臂放射痛，常伴肢冷麻木，不能持物；椎动脉型症见：颈肩部或颈枕部疼痛，头晕，恶心，呕吐，耳鸣，视物不清，头部旋转或侧弯活动度过大时，可诱发或加重症状；脊髓型症见：颈肩痛，四肢麻木，双下肢无力，走路不稳，大小便障碍；交感型症见：枕部病，头晕，偏头痛,或侧瞳孔散大,皮肤湿度降低,局部或一侧肢体多汗或少汗,心前区不适;混合型症见:上述某两型或多型颈椎病症状同时存在。

治 疗

1.足区按摩:颈椎(53)　颈(7)　肘关节(60)　斜方肌(11)　额窦(2)　肩胛(59)　肩(10)　(图143)

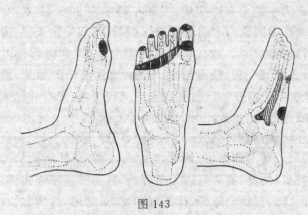

图143

2.足穴针灸

(1)经穴针灸:①神经根型:昆仑　束骨　厉兑　丘墟　毫针泻法,留针20分钟,针后加灸。②椎动脉、交感型:足通谷　至阴　足临泣　解溪　京骨　毫针,平补平泻,留针20分钟,针后加灸。

(2)足象针针灸:取足伏象、胫倒象、腓倒象的相应颈、头患肢部位,椎动脉、交感型者,加胫倒脏、腓倒脏相应的头、胃、心部位。行小的提插捻转,留针20分钟。

3.足部功法

风偏枯候导引法：以脊背正直靠墙，伸展两足和脚趾，调息入静，从头上引气下行，用意念送气，达到两足中的十趾和足心。可反复 21 次，使足心及足趾受气为止（《诸病源候论》）。

类风湿性关节炎

类风湿性关节炎属中医"痹证"范畴。是一种以周围小关节病变为主的全身性疾病，发病年龄多在 20～45 岁，女性多于男性。中医认为本病由于素体虚弱，外邪乘虚入侵，或涉水冒寒，或汗出当风，或久坐久卧寒湿之地，风寒湿邪得以侵袭人体，或脾气受损，痰湿内生，流注经络，内外湿相结，留着关节而成本病。临床表现：多数病人起病缓慢，先有几周或几个月的疲倦乏力，食欲不佳，低热，月经不调，手足麻木，刺痛等前驱症状，随后出现某一关节疼痛，僵硬，或从手指、脚趾等小关节开始，关节疼痛、红肿变成梭形，后累及其他关节，如腕、膝、肘、肩、髋等，或从骶髂关节开始，自感腰骶部疼痛、僵硬活动不便，强直，活动障碍，伴不规则发热，贫血，脉搏加快，情绪低落等症。

治 疗

1. 足区按摩：胸椎（54）　腰椎（55）　肾脏（22）　脾脏（34）　肺脏（14）　髋关节（38）　膝（35）　肘关节（60）　（图144）

2. 足穴针灸

（1）经穴针灸：冲阳　陷谷　丘墟　足临泣　地五气　仆参　金门　商丘　毫针，平补平泻，留针 30 分钟，不伴有发热者，针后加灸。

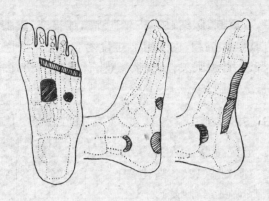

图 144

（2）足象针针灸：取足伏脏、胫倒脏、腓倒脏的相应心、头、肾的部位，脾虚者加胫倒脏、腓倒脏的相应脾部。行小的提插捻转，留针 20 分钟，脾虚、肾阳虚、劳心过度者，针后加灸。

3.足部功法：风偏枯候导引法：以脊背正直靠墙，伸展两脚和脚趾，调息入静，从头上引气下行，用意念送气，达到两足的十趾和脚心，可反复 21 次，使脚心及脚趾受气为止（《诸病源候论》）。

健　忘

健忘是由于脑力衰弱，引起记忆力减退，遇事易忘的疾患。中医称之"喜妄"或"善妄"，常因思虑过多，用脑过度，伤及心脾，使阴血不足，不能上奉营养于脑。年老体弱之人，肾精虚衰，或房室过度，致精亏髓减，均可使脑失所养导致健忘。偏于脾虚者，兼见精神疲倦，饮食减少，失眠，记忆力减退，舌淡，苔白，脉细弱；偏于肾阴虚者，伴手足心热，午后发热，睡眠中汗出较多,舌质红,脉细数;偏于阳虚者,伴畏寒,腰膝发凉,舌质淡,苔白腻,脉沉细;偏于劳心过度者,伴精神恍惚,记忆力减退,周身乏力,睡眠欠佳,食欲减退,休息后病情好转,舌质淡,苔薄白,脉沉细。

治 疗

1.足区按摩:头(1) 小脑(3) 甲状腺(12) 肾上腺(21) 垂体(4) 脾脏(34) 肾脏(22) 心脏(33) (图145)

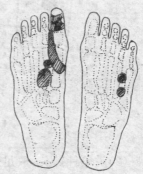

图 145

2.足穴针灸

(1)经穴针灸:昆仑 仆参 太溪 太白 商丘 然谷 毫针补法,留针20分钟,脾虚,阳虚,劳心过度者针后加灸。

(2)足象针针灸:取足伏脏、胫倒脏、腓倒脏的相应的心、脾、肾的部位。行小的提插捻转,留针20分钟。

3.足部外敷:酸枣仁适量 捣碎,贴于心脏(33)对应区,胶布固定。

肾 炎

又称肾小球肾炎,是以双侧肾脏肾小球病变为主的泌尿系疾患。中医认为本病主要由外邪侵袭,肺、脾、肾三脏功能失调所致。急性者,以浮肿、高血压、血尿、蛋白尿、畏寒、发热为主证;慢性者伴浮肿、高血压、乏力、面白。中医辨证:偏于风水泛滥者,眼睑浮肿,继而出现四肢及全身皆肿,得病迅速,四肢酸重,小便不利,舌质红,脉浮滑数;偏于疮毒内侵者,始患于皮肿疖肿感染,继则出现发热、浮肿、小便短赤,或血尿,舌边尖红,舌苔薄黄,脉数;偏于脾肾两虚者,只见尿中有少量蛋白及红细胞,周身乏力,食欲减退;偏脾肾气虚者,乏力,食欲下降,两足浮肿,尿中有少量或中等量蛋白及管型;偏于脾肾阳虚者,见全身高度浮肿,形寒肢冷,食欲减退,尿少,大便溏泻;偏于肝肾阴虚者,见头痛、头晕、目眩,易怒,面色潮红,胸闷,舌质红,脉弦细,血压高。

治　疗

1.足区按摩:肾脏(22)　输尿管(23)　膀胱(24)　脾脏(34)　肝脏(18)　肺脏(14)　下身淋巴(40)　肾上腺(21)(图 146)

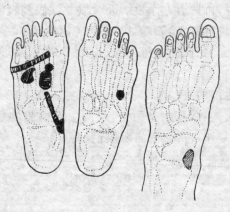

图 146

2.足穴针灸

(1)经穴针灸:解溪　陷谷　太白　太溪　水泉　行间

太冲　风水泛滥、疮毒内侵者,毫针泻法;脾肾两虚、肝肾阳虚者,毫针补法;风水泛滥、脾肾气虚、阳虚者,针后加灸,留针20分钟。

(2)奇穴针灸:二趾上　平补平泻,留针 20 分钟。

(3)足针针灸:肾　脾　膀胱　肝肾阴虚者加肝。中等度捻转,留针 15 分钟;风水泛滥、脾肾气虚、阳虚者,针后加灸。

(4)足象针针灸:取足伏脏、胫倒脏、腓倒脏的相应肾、脾、膀胱部位。行小的提插捻转,留针 20 分钟,风水泛滥、脾肾气虚、阳虚者,针后加灸。

3.足部外敷

(1)急、慢性肾炎:紫皮独头大蒜 1 枚　蓖麻籽 60～70 粒 将其皮及外壳脱去,一起捣成糊状(不宜放置过久),分成 2 份,分别涂双脚底涌泉穴,外用玻璃纸盖后包扎,涂敷 1 周。如效果不好,再按上方涂敷 7 天(《黑龙江医药》1987:(6))。

(2)慢性肾炎:石蒜 2～3 个　蓖麻子 70 个　合捣,外敷足底中心,12 小时换药 1 次,连续 1 周(《常见病验方研究参考资料》)。

4.足部功法

肾病候:两脚相交而坐,用两手握两脚的踝部,尽力拉脚仰头,反复作 7 次(《诸病源候论》)。

呕　　吐

呕吐是由于胃失和降,气逆于上所引起的病证。中医认为,有声无物为呕,有物无声为吐,两者同时出现,称"呕吐"。本病因外感风、寒、暑、湿之邪及秽浊之气,内犯胃腑或过食生冷油腻及误食腐败食物;或抑郁、暴怒伤肝,肝气横逆犯胃,饮食随气上逆而致呕吐。偏于寒者,突然呕吐,吐出物多为清水稀涎,苔白,脉浮;偏于热者,呕吐频繁,吐出酸苦胆汁,口渴欲得冷饮,舌红,脉数;偏于伤食者,呕吐多为未消化的食物,吐后轻快,脘腹胀满,厌食,大便秽臭,舌苔厚腻,脉滑实;偏于痰饮者,脘腹胀,呕吐痰涎,吐后喜得热饮、厌食,头晕,心悸,舌淡苔白,脉滑或濡;偏于肝气犯胃者,呕吐多在食后精神刺激时发作,吐尽为快,胸胁胀满或痛,烦闷不舒,舌边红,脉弦。西医学的神经性呕吐、胃炎、幽门痉挛或梗阻、胆囊炎、脑血管意外、肝昏迷引起的呕吐,可参照本节治疗。

治疗

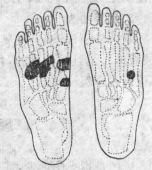

1. 足区按摩:脾脏(34)
胃(15)　腹腔神经丛(20)　肝脏(18)　十二指肠(16)　(图147)

图147

2. 足穴针灸

(1)经穴针灸:丘墟　仆参足通谷　隐白　大都　太白毫针泻法,留针20分钟;偏寒、偏痰饮者,针后加灸;

(2)奇穴针灸:取内踝前下女膝　毫针,泻法,留针20分钟,偏寒、痰饮者,针后加灸。

(3)足针针灸:胃　大肠　小肠　脾　肝气犯胃者加肝。中等度捻转,不留针;寒性呕吐及痰饮者,留针20分钟,针后加灸。

(4)足象针针灸:取足伏脏、胫倒脏、腓倒脏的相应胃、大肠、脾部位。行大的提插捻转,留针20分钟,如呕吐缓解,不需留针。

3. 足部外敷

(1)大蒜捣烂成泥　用猪油擦脚心,将蒜泥敷于两足心,绷带包扎。

(2)白矾研细末　加面粉适量　用醋或开水调成膏,摊于硫酸纸上,敷于涌泉穴,胶布固定(《腧穴敷药疗法》)。

4. 足部薰浴:伤食之呕吐、腹泻:胡椒 20g　绿豆 1 把黄连 120g　干姜 120g　上药加水煎煮 20 分钟,煎取药液3000ml,对入凉水至 40℃左右,淋浴胸、腹部,冷后加温再浴,并浸双足,每次 30～60 分钟,每日 1～2 次。

5. 足部功法

呕吐导引法:端坐在凳上或床上,两腿伸直,以足跟着地(或着床),足趾向上翘起,用两手指握足五趾,然后上身恢复原位(《古今医统》)。

癃　闭

癃闭是指小便量少,甚则闭塞不通为主证的疾患。中医认为小便不利,点滴量少,病势缓慢者称之"癃",小便闭塞不通,病势较急者称之"闭","癃"与"闭"均指排尿困难,故合称"癃闭"。肺、脾、肾三脏功能失调,情志所伤,多种原因导致的尿路阻塞,如瘀血、结石均能引起癃闭。偏于膀胱湿热者,小便不通或小便量少短赤,灼热,小腹胀满,口苦,口粘,苔黄厚腻,舌质红、脉数;偏于肺热壅滞者,小便不通或量少,排出困难,咽干,口渴欲饮,苔薄黄,脉数;偏于肝郁气滞者,心烦易怒,小便不通或通而不畅,胁肋胀满,舌苔薄黄,舌红,脉弦;偏于肾气不足者,小便不通或点滴而出,排出无力,面白,腰以下冷,舌淡,脉沉细。

治疗

1.足区按摩:肺(14)　脾脏(34)　肾脏(22)　肝脏(18)
膀胱(24)　输尿管(23)　尿道(51)　前列腺(50)　(图148)

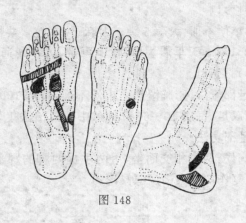

图 148

2.足穴针灸

(1)经穴针灸:大钟　水泉　太冲　涌泉　至阴　肾气不
足者,毫针补法,针后加灸,余均毫针泻法,中等度刺激,留针
30分钟。

(2)足针针灸:子宫　膀胱　肾　脾　肺热壅滞者加刺
肺;肝郁者加刺肝,行中等度捻转,留针30分钟。

(3)足象针针灸:取足伏脏、胫倒脏、腓倒脏的相应肾、膀
胱、脾部位,肺热壅滞者加刺胫倒脏、腓倒脏的相应肺部,肝郁
气滞者加刺胫倒脏、腓倒脏的相应肝脏部位。膀胱湿热、肺热
壅滞、肝郁气滞者,毫针,泻法,行大的提插捻转;肾气不足者,
用毫针补法,留针30分钟。

3.足部外敷

(1)小便不利:白矾 31g 研末　醋调包脚心,每日 1 次(《贵州民间》)。

(2)小便不通、少腹胀满:水仙头 1 个　蓖麻子 30 粒(去壳)　共捣烂,敷贴足心,一夜换贴 2～3 次(《常见病验方研究参考资料》)。

(3)小便不通:大蒜 5 头　大麻子 50 粒　共捣烂,每晚换药敷足心,第 2 天早晨去掉,晚上再敷,以小便通利为止(《食物疗法》)。

4.足部薰浴:膀胱湿热之小便不通:黄酒 1000ml,倒置盆内,浸洗双足,每次 40～60 分钟(《中医外治法集要》)。

5.足部功法

肾病候:两脚相交而坐,用两手握两脚的踝部,尽力拉脚仰头,反复作 7 次(《诸病源候论》)。

尿 失 禁

尿失禁,即指尿液不能自主地排出,或不能控制的尿液外溢。常因尿道括约肌损伤,或神经功能失常,丧失控制尿液的能力;或因尿道梗阻(尿道狭窄、前列腺肥大),或膀胱收缩无力(脊髓损伤)等排尿障碍,导致尿潴留,尿液外溢;或因尿道括约肌松弛,腹内压骤然增加,导致尿液失禁。临床症状:神经系统疾病或损伤致尿失禁者,同时伴有肢体麻木、疼痛、感觉障碍,运动失常(多因大脑、脊髓损伤、炎症、多发性硬化症所致);压力性尿失禁,多见于中年人,肥胖者,经产妇女,当咳嗽、大笑,高声歌唱、用力、奔跑,失足跌倒,喷嚏等腹压增加时,尿液不随意地流出;充溢性尿失禁者,见尿急,排尿困难,小腹胀痛,膀胱区膨隆(见于前列腺肥大等尿道梗阻患者)。

治　疗

1. 足区按摩:肾(22)　膀胱(24)　输尿管(23)　前列腺(50)　尿道(51)　脑垂体(4)(图149)

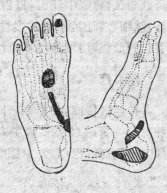

2. 足穴针灸

(1)经穴针灸:涌泉　足临泣　太溪　太冲　中封　毫针,平补平泻,中等刺激,留针30分钟。

图149

(2)足针针灸:取膀胱　肾　中等度捻转,留针30分钟。

(3)足象针针灸:取足伏脏、胫倒脏、腓倒脏的相应膀胱、肾、前列腺部位。行大的提插捻转,留针30分钟,针后加灸。

低　热

低热是指体温在37.4～38℃之间,其热时或发无定时,或感手足心热,或自觉发热。中医认为外邪侵袭,或因情志不遂,饮食所伤,或过度疲劳,或久病不愈,脏腑功能失调,导致低热。偏肝郁者,心烦,胸及两季胁下胀闷,善叹息,妇女兼见月经不调,经来腹痛或乳房发胀;偏瘀血者,午后或夜间发热,口舌干燥,不欲饮水,躯干或四肢有固定痛点或肿块,面色无华,舌质紫,脉涩;偏气虚者,时觉发热,头晕乏力,气短懒言,大便溏泻,舌质淡白,苔薄白,脉细弱;偏血虚者,伴头晕,失眠,乏力,心慌,胸闷,面白无华,口唇、指甲色淡,舌质淡,脉细;偏阴虚者,午后或夜间发热,手足心热,心烦,失眠,多梦,两颧潮红,睡眠中汗出,口舌干燥,舌干红或有裂纹,无苔或少苔,脉细数,迁延不愈的慢性病患者或产后、术后或其他原因引起的低热,均可参照本节治疗。

治　疗

1.足区按摩:头(1)　小脑(3)　脑垂体(4)　额窦(2)肝(18)　肾脏(22)　脾脏(34)　上身淋巴(39)　下身淋巴(40)　胸部淋巴(41)　(图150)

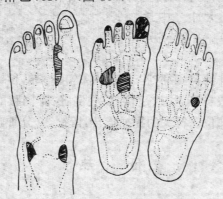

图 150

2.足穴针灸

(1)经穴针灸:内庭　冲阳　厉兑　足窍阴　足通谷　至阴。肝郁、瘀血者,毫针泻法;气虚、血虚、阴虚者,毫针,平补平泻,气虚、血虚者,针后加灸,留针 30 分钟。

(2)足象针针灸:取足伏脏、胫倒脏、腓倒脏的相应肝、心、脾、肾、肺部位。行小的提插捻转,留针 30 分钟,气虚、血虚者,针后加灸。

三叉神经痛

三叉神经痛是指三叉神经分支范围内出现阵发性、暂短性、剧烈抽掣疼痛，多发生于面部一侧的额部，上下唇、鼻翼、眼眶部，疼痛常突然发作，呈闪电样、刀割样、针刺样的疼痛。初起疼痛时间较短，发作间隔时间较长，久则发作次数逐渐变频，疼痛程度越来越重，每因情绪激动或冷热刺激，咀嚼食物，洗脸，刷牙、说话等诱发。中医学认为，本病因风寒或风热之邪侵袭经络；或情志郁结，肝气失调所致。偏于风寒者，呈阵发性疼痛，遇冷加重，得热病减，面色苍白，或面部浮肿，舌淡、苔白，脉紧；偏于肝胃之火者，见面部疼痛，以烧灼样疼痛为主，面红，目红，多眵，烦躁，易怒，口渴，便秘，苔黄而干，脉弦数；偏于气虚血瘀者，见疼痛反复发作，多年不愈，形体消瘦，少气懒言，劳累后疼痛发作或加剧，舌红，少苔，脉细弱。

治 疗

1.足区按摩：三叉神经 (5) 头(1) 额窦(2) 肝脏(18) 胃(15) 肾脏(22) 眼(8) 耳(9) 上腭(47) 下腭(46) （图151）

2.足穴针灸

(1)经穴针灸：厉兑 解溪 冲阳 侠溪 太溪 行间 毫针泻法，中等刺激，留针20分钟。

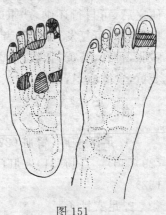

图 151

（2）足针针灸：取面　肝胃之火者加肝、胃。毫针，中等度捻转，留针 20 分钟，偏风寒者，针上加灸。

（3）足象针针灸：取足伏脏、胫倒脏、腓倒脏的相应面、肝、胃、肾部位。毫针，泻法，行大的提插捻转，留针 20 分钟。

脱　肛

脱肛，亦称直肠脱垂，常因便秘或慢性腹泻、痔疮，年老体弱，妇女产后，劳倦，小儿经常啼哭等原因，引起肛门脱出。中医认为本病多由中气下陷所致，老年元气不足，妇女分娩过多，产时元气大伤，不能收摄；久泄久痢，导致脾肾阳虚，大肠之气不固；也可因慢性咳嗽，小儿经常啼哭等原因，致下元虚弱，中气下陷，不能摄纳，致肛门松弛而下脱；又因过食油腻之品，或长期便秘，或痔疮日久，均可导致肛门脱出。临床表现为排便时可见直肠粘膜或直肠全层从肛门内脱出，轻者仅见大便之后，可自行还纳，严重时，遇咳嗽、劳累、担提重物、下蹲、打喷嚏时可复发。偏实证者，大便秘结，肛门红肿或作痒刺痛，腹胀，舌红，苔黄，脉数；偏虚证者，乏力，少气懒言，神倦，面色萎黄，食欲减退，眩晕，舌淡，苔薄，脉濡细。

治　疗

1. 足区按摩：肾脏（22）　升结肠、降结肠、横结肠（28）（29）（30）　直肠（31）　肛门（32）　脾脏（34）　胃（15）　（图152）

2. 足穴针灸

（1）经穴针灸：束骨　太冲解溪　太白　实证者，毫针泻法；虚证者，毫针补法，针上加灸。

（2）足象针针灸：取足伏脏、胫倒脏、腓倒脏的相应脾、肾、大肠、肛门部位。实证者，行大的提插捻转；虚证者，行小的提插捻转，针后加灸，留针 20 分钟。

3. 足部外敷：蓖麻子 15g，捣烂为膏，敷于足心，胶布固定。

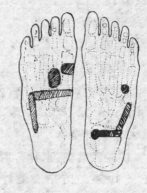

图 152

落　枕

中医称"失枕"、"失颈"，发病特点为颈项疼痛，转动不利。轻者 4～5 天可自愈，重者颈项背部疼痛严重，可向后头部及肩部放散，延至数周不愈。本病常因睡眠时枕头高低不适，躺卧姿势不良，使颈肩部肌肉在时间内处于过度伸展状态；或颈部突然扭转，或肩挑重物不当，致颈部肌肉损伤，或因睡眠时露肩，局部感受风寒，局部肌肉痉挛，局部血运不畅，气血凝滞，经络受阻而发病。临床表现：多发于睡眠后，颈项疼痛，僵硬，甚至波及背部，枕部、肩臂部，头向患侧倾斜，下颌转向健侧，颈部活动明显障碍，轻轻搬动颈部，则剧痛难忍。偏风寒者，伴恶寒，遇热痛减，喜按喜揉，舌质淡，苔白，脉浮；偏闪挫者，伴见疼痛拒按，病情与温度变化无关，有颈部闪挫扭伤史，舌质淡，或有瘀点，脉弦。

治 疗

1.足区按摩:颈(7) 颈椎(53) 斜方肌(11) 肾(22)(图153)

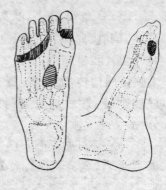

图 153

2.足穴针灸

(1)经穴针灸:京骨 束骨 昆仑 丘墟 厉兑 毫针泻法,强刺激,留针20分钟,偏风寒者,针后加灸。

(2)足针针灸:取落枕 泻法,中等强度提插捻转,留针20分钟,风寒者,针后加灸。

(3)足象针针灸:取足伏象、胫倒象、腓倒象的相应颈部位。行大的提插捻转,留针20分钟。

晕 车

晕车是日常生活中常见的一种正常人亦经常发生的症状。主要是由于乘坐在车上,接受振动、摇晃的刺激,内耳"迷路"不能很好地适应和调节机体的平衡,使交感神经兴奋性增强;或因疲劳、感冒、饮食不当,或精神紧张,疲劳过度,极度虚弱等引起的神经功能紊乱,导致晕车。主要表现为乘车后出现头晕,头痛,恶心,呕吐,出汗,周身无力,面色苍白,两腿发软等症。

治 疗

1.足区按摩:头(1)　小脑(3)　腹腔神经丛(20)　脾脏(34)　胃(15)　内耳迷路(42)　(图154)

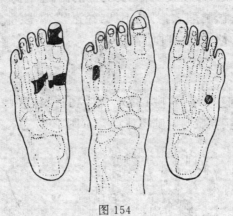

图154

2.足穴针灸

(1)经穴针灸:涌泉　解溪　大钟　太白　大都　毫针泻法,针上加灸。

(2)足象针针灸:取足伏脏、胫倒脏、腓倒脏的相应头、心、胃部位。行小的提插捻转,留针30分钟,针后加灸。

肥　　胖

动物性食品的增多,人们的运动量不足,致使肥胖的人增加。标准体重=〔(身高cm-100)×0.9〕-2~3kg。如体重超过标准体重的20%,就属肥胖症。

中医辨证:脾虚湿滞者,表现为食欲减退,周身乏力,动则气短,大便稀薄,肌肉组织肥厚而松弛,舌质淡而胖,脉濡缓无力;胃强脾弱者,表现为食欲佳,食量多,大便干结,口渴,小便黄,口臭,肌肉组织胖而结实,血压时而偏高,舌红,苔黄腻,脉滑数或弦数。冲任失调者,表现为饮食、睡眠尚可,大便正常,小便较频,腰腿酸软,月经不调,经量较少,腹部、臂部胖如水囊,舌胖而淡,脉沉细而濡细。

治 疗

1.足区按摩:脾脏(34)　胃(45)　肾脏(22)　下腹部(37)　甲状腺(12)　脑垂体(4)　(图155)

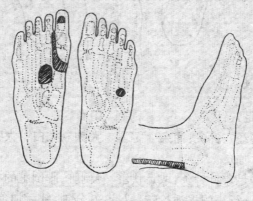

图155

2.足穴针灸

(1)经穴针灸:解溪　内庭　陷谷　公孙　商丘　太白冲任失调者,加隐白、大敦、太冲、太溪;毫针,平补平泻,留针20分钟,除胃强脾弱者外,针上加灸。

(2)足象针针灸:取足伏脏、胫倒脏、腓倒脏的相应脾、胃、小肠、大肠部位,行小的提插捻转,留针20分钟,除胃强脾弱者外,针后加灸。

第二节 妇科疾病

月经不调

凡月经周期出现异常者,总称月经不调。其中月经周期提前7天以上,甚至1月2次,称经早;月经周期推迟7天以上,甚至40~50天一潮,称经迟;月经周期时或提前、时或延后7天以上者,为经乱。月经不调主要是由于七情所伤或外感六淫,或先天肾气不足,多产房劳,劳倦过度,使脏气受损,肾肝脾功能失常,气血失调,致冲任损伤,发为月经失调。根据病因,临床分型:肝郁气滞:月经周期或前或后或不定期,经量正常或多或少或闭经,色紫红,质稠,排出不畅,挟有血块;血热妄行:月经周期前提,量多或正常,色鲜红,质粘稠,面红唇赤;寒凝胞宫:经期错后,量正常或少,色黯红,有血块,小腹冷痛,遇热而缓,面青肢冷,畏寒唇暗;瘀血内阻:经期不定,量或多或少,淋漓不畅,色黯有块,小腹满痛拒按,血块排出后疼痛缓解;脾气亏虚:月经周期或前或后或不定期,量或多或少,甚至闭经,经色淡红,质稀,面黄神疲;肾阴亏损:月经前提,或后延、不定期,经量或多或少或闭经,经色鲜红质稠,颧红,手足心热,心烦不寐。

治 疗

1. 足区按摩:取足部反应区脑垂体(4)　肾脏(22)　生殖

— 163 —

腺(36) 子宫(50) 下腹部(37) 肾上腺(21) 甲状腺(12)
腹腔神经丛(20) 以一手持脚,另一手半握拳,食指弯曲,以
食指第一指间关节顶点施力,由脚跟向脚趾方向挑刮5～6
次,或定点按压3～4次(图156)。

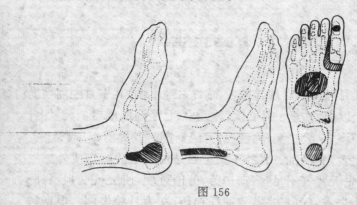

图156

2.足穴针灸

(1)经穴针灸:若经早则取太冲、太溪;若经乱则取然谷、
隐白。经早宜针不灸,用平补平泻法;经乱宜针灸并用,留针
30分钟。

(2)奇穴针灸:取阴独八穴 独阴 营池 通里 若经早
用平补平泻法,不灸;经乱宜针灸并用,留针20分钟。

(3)足针针灸:取子宫 痛经 若经早,针刺用平补平泻
法,留针20分钟;若经乱,针刺用补法,或针后加灸,留针15
分钟。

(4)足象针针灸:取足伏脏的腹腔、胫倒脏、腓倒脏的下腹
部。若经早,针刺用平补平泻法,若经乱,针刺用补法,留针20
～30分钟。

3.足部外敷

（1）取乳香、没药、血竭、沉香、丁香各 15g　青盐、五灵脂、两头尖各 18g　麝香 1g（另研）　将诸药除麝香另研外，其余混合粉碎为末过筛，先取麝香 0.2g，放下腹部对应区上，再取药末 15g，撒布麝香上面，盖以槐皮。槐皮上预先钻小洞，将艾绒捏住，放槐皮上点燃灸之，日 1 次。此法用于肝郁气滞型月经不调症。

（2）取大黄 128g　玄参、生地、当归、赤芍、白芷、肉桂各 64g　用小磨麻油 1000g 熬，黄丹 448g 收，贴于下腹部区。此法用于血热妄行型月经不调。

（3）取山楂、葛根、乳香、没药、山甲、川朴各 100g　白芍 150g　甘草、桂枝各 30g　细辛挥发油、鸡矢藤挥发油、冰片各适量　先将山楂、葛根、白芍、甘草水煎 2 次，煎液浓缩成稠状，混入适量的 95％乙醇的乳香、没药液。烘干后，与山甲、川朴、桂枝共研细末，再加入适量的细辛挥发油、鸡矢藤挥发油、冰片充分混合、过筛，备用。患者于经前 3～5 天，取上药 0.2～0.25g，气滞血瘀用食醋调糊，寒湿凝滞型用姜汁调。

痛　　经

妇女在行经前后，或行经期间，小腹及腰部疼痛，甚则剧痛难忍，并随着月经周期而发作，称为"痛经"。本病以青年妇女较为多见。多因受寒饮冷，坐卧湿地，寒湿伤于下焦，客于胞宫，经血为寒湿所滞，运行不畅而作痛；或肝郁气滞，血行受阻，冲任运行不畅，经血滞于胞宫，不通则痛；或禀赋虚弱，肝肾不足，孕育过多，经血亏损，行经之后血海空虚，胞脉失于滋养，故经后作痛。寒湿凝滞型表现为经前或行经期间小腹冷痛，按之痛甚，得热痛减，经水量少，色黯，常伴有血块，苔薄

·白,脉沉紧.肝郁气滞型表现经前或经期小腹胀痛,胀甚于痛,经行不畅,月经量少,常伴有血块,兼见胸胁、乳房胀痛,舌质黯或有瘀斑,苔薄白,脉沉弦.肝肾亏损型表现为经期或经后小腹绵绵作痛,按之痛减,经色淡,质清稀,腰脊酸痛,面色苍白,舌质淡,脉沉细.

治 疗

1. 足区按摩:肾脏(22)　脑垂体(4)　生殖腺(36)　腹股沟(49)　下腹部(37)　先用压法压肾脏,再揉按脑垂体、腹股沟,重点揉按生殖腺、下腹部(图 157).

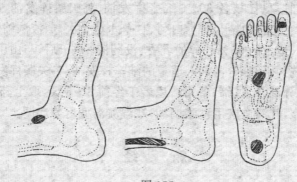

图 157

2. 足穴针灸

(1)经穴针灸:取内庭　足窍阴　水泉　针刺用平补平泻法,留针 20 分钟.若寒湿凝滞型,可采用针后加灸,每穴灸 10～20 分钟.本病疼痛时针刺,效果显著.

(2)奇穴针灸:取曲尺.针刺用平补平泻法,留针 20 分钟,若寒湿凝滞型,可采用针后加灸,灸 10～20 分钟.

(3)足针针灸:取子宫　痛经₂　针刺用平补平泻法,留针

20分钟。若寒湿凝滞型,可用灸法,每穴灸10～20分钟。

(4)足象针针灸:取足伏脏的腹腔、胫倒脏、腓倒脏的下腹部,针刺用平补平泻法,留针20分钟;若寒湿凝滞型,可用灸法,每穴灸10～20分钟。

3.足部外敷

(1)若寒湿凝滞型,取食盐300g(研末) 生姜120g(切碎) 葱头1握 将上药炒热贴敷于足对应区下腹部。

或取白芷、五灵脂、青盐各6g 共研细末,将足对应区肾区用湿布擦净后,放药末在上面,上盖生姜1片,用艾灸,隔日1次。

(2)气滞血瘀,寒凝胞宫型:取方药葛根、乳香、没药、山甲、川朴各100g 白芍150g 细辛挥发油适量 先将葛根、白芍水煎2次,煎成稠状,混入溶于适量的95%乙醇的乳香、没药液。烘干后与山甲、川朴共研细末,再加入适量的细辛挥发油,充分混合,过筛。气滞血瘀者用食醋调糊,寒湿凝滞型用姜汁调后贴于足穴按摩区(同前)上。

崩　漏

崩漏是指经血非时暴下不止或淋漓不尽,前者称崩或经崩,后者称漏下或经漏。常见于青春期和更年期,属于月经失调的一种疾病。其病的发生是由于患者平素脾虚,或饮食劳倦,损伤脾气,中气不足,统摄无权,冲任不固;或肾阳虚惫,失于封藏,冲任失于固摄;或肾阴不足,虚火妄动,精血失守可导致子宫出血。若素体阳盛,或外感邪热,或食辛辣助阳之品,热伤冲任,迫血妄行;或肝气郁结,气郁化火,木火炽盛,藏血失职;或湿热蕴结下焦,伤及胞络也可导致子宫出血。若血色深红,气味臭秽,口干喜饮,舌红苔黄,脉滑数者为血热;若血色黯红,兼见带下如注,气味臭秽,阴部痒痛,舌苔黄腻,脉濡数者为湿热;若血中挟有瘀块,腹痛拒按,瘀块排出后则痛减,舌质黯红,脉沉涩者为血瘀;若症见胸胁胀痛,心烦易怒,时欲叹息,脉弦数者为郁热。若血色淡红,面色㿠白,身体倦怠,气短懒言,舌质淡,苔薄白,脉细者为气虚;若血色淡红,小腹冷痛,四肢不温,喜热畏寒,舌淡苔白,脉沉细者为阳虚;出血量少,血色鲜红,五心烦热,失眠盗汗,腰膝酸软,舌红苔少,脉细数者为阴虚。

治 疗

1. 足区按摩:取脑垂体(4) 肾上腺(21) 腹腔神经丛(20) 肾(22) 下腹部(37)生殖腺(36) 以一手持脚,另一手半握拳,食指弯曲,以食指第一指间关节顶点施力,由脚跟向脚趾方向挑刮5~6次,或定点按压3~4次(图158)。

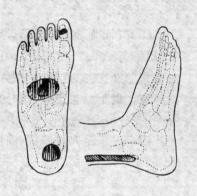

图 158

2. 足穴针灸

(1)经穴针灸:取隐白 若血热,则加水泉;若阴虚,加太溪;若气虚,加大都。实热针用泻法,不灸。虚寒针用补法,多灸,针或灸一般需15~20分钟。

(2)奇穴针灸:取足心 实热证针用泻法,不灸,虚寒证针用补法,多灸,留针15~20分钟,灸3~5壮。

(3)足针针灸:取痛经 痛经₂ 虚则针用补法,实则针用泻法,留针20分钟。虚寒证亦可用温和灸,灸15~20分钟。

（4）足象针针灸：取足伏脏的腹腔、胫倒脏、腓倒脏的下腹部。虚寒证针用补法，多灸。实热证针用泻法，不灸。一般留针15～20分钟，灸3～5壮。

3.足部外敷：取蓖麻叶1张，捣烂，包在下腹部、肾等足对应区上，日换药1次。

带　下

带下病是指女子带下量明显增多，色、质、气味异常或伴纳少便溏，两足跗肿，或腰酸怕冷，小便清长；或腹痛便干等症状。临床上以白带、青带、黄带为常见。本病病因主要是由于湿邪影响任、带，以致带脉失约，任脉不固所形成。湿邪主要由于脾虚、肾虚、湿热所致。故临床上常依据此三型进行辨证治疗。脾虚者，常表现为带下色白或淡黄，质粘稠，无臭气，绵绵不断，四肢不温，舌淡苔白腻，脉缓弱；肾阳虚者，白带清冷，量多，质稀薄，终日淋漓不断，腰酸如折，小腹冷感，舌质淡，苔薄白，脉沉迟；肾阴虚者，带下赤白，质稍粘稠，无臭气，五心烦热，舌红少苔，脉细数。湿热者，带下量多，色黄或黄白，质粘，有臭气，小便黄小，舌苔黄腻，脉濡数。热毒者，带下量多，或赤白相兼，或五色杂下，质粘腻，有臭气，烦热口干，大便干结，小便黄小，舌红，苔黄，脉数。

治　疗

1.足区按摩：取子宫（50）阴道（51）　肾脏（22）　以一手持脚，另一手半握拳，食指弯曲，以食指第1指间关节顶点施力，由脚趾向脚跟方向按摩约4～6次（图159）。

2.足穴针灸

（1）经穴针灸:取隐白　若湿热型,加行间。湿热型,针用泻法,不灸;寒湿型,针用平补平泻法,多灸,留针 20 分钟,灸 3～5 壮。

（2）奇穴针灸:取营池　阴阳。湿热型针刺用泻法,不灸;寒湿型,针用平补平泻法,多灸。留针 20 分钟,灸 3～5 壮。

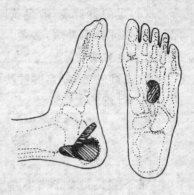

图 159

（3）足针针灸:取子宫　痛经　湿热型针用泻法,不灸;寒湿型,针用平补平泻法,多灸,留针 20 分钟,灸 3～5 壮。

（4）足象针针灸:取足伏脏的腹腔、胫倒脏、腓倒脏的下腹部。湿热型针用泻法,不灸;寒湿型,针用平补平泻法,多灸,留针 20 分钟,灸 3～5 壮。

3. 足部外敷

（1）取硫黄 18g　母丁香 15g　麝香 3g　朱砂 3g　独头蒜(去皮)2 枚为 A 方。

取川椒 50g　韭菜子、陈皮、肉桂、蛇床子各 20g　独头蒜 300g　芝麻油 500ml　广丹 250g 为 B 方。

先将 A 方中诸药,粉碎为末,以独头蒜与之混合,捣融如膏。再将 B 方中诸药,放入油内,入锅加热,将药炸枯,过滤去渣,再将油熬至滴水成珠,徐徐加入广丹,搅拌收膏后贴于足部对应区子宫、阴道等。此法用于寒湿型带下。

（2）白鸡冠花(醋炙)、红花(酒炒)、白术、荷叶(烧灰)、茯苓、陈壁土、车前子各等份　黄酒适量

诸药粉碎为末过筛,每次取药末 35g,用黄酒调匀成稠

状,涂于肾、子宫、阴道等对应区,盖以纱布,胶布固定,2日换药1次。此法用于湿热带下。

闭　　经

闭经是指女子年愈18岁,月经尚未初潮,或已行经而又中断3个月以上者。本病病因较为复杂,因虚为病,精血不足,血海空虚,无血可下;因实为病,邪气阻隔,脉道不通,经气不得下行。血枯闭经多表现为超龄月经未至,或渐渐经期错后,经量逐渐减少,终至闭止。如兼见头晕耳鸣,腰膝酸软,口干咽燥,五心烦热,潮热汗出,舌质红,脉弦细者为肝肾不足。如兼见心悸怔忡,神倦肢软,纳少便溏,舌质淡,脉细弱者为脾胃虚弱。如兼见面色㿠白,形体消瘦,舌淡脉细者为血亏。血滞闭经为闭经不行,精神抑郁,烦躁易怒,胸胁胀满,小腹胀痛拒按,舌质紫黯或有瘀点,脉沉弦者为气滞血瘀。形寒肢冷,小腹冷痛,喜得温暖,苔白脉沉迟者为寒凝血滞。形体肥胖,胸胁满闷,神疲倦怠,白带量多,苔腻脉滑者为痰湿阻滞。

治疗

1.**足区按摩**:取脑垂体(4)　肾脏(22)　生殖腺(36)　甲状腺(12)　腹腔神经丛(20)　肾上腺(21)　以一手持脚,另一手半握拳,食指弯曲,以食指第一指间关节顶点施力,由脚趾向脚跟方向或定点按摩约4～6次(图160)。

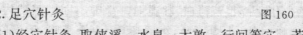

图160

2.足穴针灸

(1)经穴针灸:取侠溪　水泉　大敦　行间等穴　若血枯

经闭针用补法,可灸;若血滞经闭,针用泻法,一般不灸。留针20分钟,灸3～5壮。

(2)足象针针灸:取足伏脏的腹腔、胫倒脏、腓倒脏的下腹部,若血枯经闭针用补法,可灸;若血滞经闭,针用泻法,不灸,留针20分钟,灸3～5壮。

3.足部外敷

(1)大黄128g 芒硝64g 柴胡、瓜蒌根、桃仁、当归、生地、红花、穿山甲、莪术、三棱、川芎各32g 乳香、没药、肉桂各22g 川乌10g 麻油熬,黄丹收,花蕊石32g 血竭15g 另研搅,敷于生殖腺等足对应区。本法用于气滞血瘀型闭经。

(2)取白胡椒、黄丹、火硝各9g 共研面,做成3个饼,连用3次,敷于生殖腺等对应区。此法用于寒湿凝滞型闭经。

(3)取鲜臭梧桐皮150g 阿魏90g 将桐皮煎熬去渣取汁,再入阿魏熬成膏,涂在布上贴在腹腔神经丛等对应区。

阴　挺

妇女子宫下脱,甚则挺出阴户之外,或阴道壁膨出。前者为子宫脱垂,后者为阴道壁膨出,统称阴挺,又称阴菌、阴脱。因多发生在产后故又有"产肠不收"之称。本病由于盆腔结缔组织松弛,使子宫由正常位置沿阴道下垂降至坐骨棘水平以下,并伴有不同程度的阴道前后壁膨出。多因临产时用力太过,或生育过多造成.祖国医学认为本病多由气虚下陷与肾虚不固致胞络损伤,不能提摄子宫。气虚下陷表现为子宫下移或脱出于阴道口外,劳则加剧,小腹下坠,四肢无力,少气懒言,面色少华,舌淡,苔薄白,脉虚细。肾虚不固则表现为子宫下脱,腰酸腿软,小腹下坠,小便频数,头晕耳鸣,舌淡红,苔薄白,脉沉弱。

治 疗

1. 足区按摩:取子宫(50)
阴道(51)　以拇指固定,食指
弯曲呈镰刀状,以食指内侧缘
施力刮压3～4次,或以拇指指
腹施力按摩3～4次(图161)。

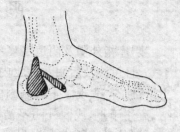

图 161

2. 足穴针灸

(1)经穴针灸:取水泉。针刺用补法,可灸,留针15～20分钟,灸3～5壮。

(2)足象针针灸

取足伏脏的会阴、腹腔、胫倒脏、腓倒脏的下腹部。针刺用补法,留针15～20分钟,可灸,一般灸3～5壮。

3. 足部外敷

(1)取蛇床子适量,炒热后,热敷于子宫对应区,治子宫脱出,痛不可忍。

(2)取蓖麻仁60g　艾叶30g　灶心土60g　琥珀9g　捣烂煨热敷于子宫对应区。

(3)取尖叶铁扫帚30g　半边莲30g　蓖麻子15g　蜗牛1～3枚　共捣烂,敷于子宫、阴道对应区。

(4)取何首乌30g(研末)　雄鸡3000g　将鸡宰后去毛及肠杂,以白布裹何首乌末,纳鸡腹内,放锅内蒸至鸡肉离骨,取出何首乌末,加调料,将汤及鸡肉分2次食用,留鸡骨和何首乌末捣在一起,敷于子宫对应区和阴道对应区上。敷药后,子宫自能收缩。本方用于正产用力过度,子宫脱出在产后半个月内无其他合并症。

阴　痒

阴痒指外阴及阴道瘙痒不堪,甚或痒痛难忍,或伴有坐卧不安,且可波及后阴及大腿内侧,或伴有带下量多,心烦口苦,头晕目眩等表现。本病病因由于脾虚湿盛,肝郁化热,湿热蕴结,流注于下,或因外阴不洁,久坐湿地,病虫侵袭阴部所致。肝经湿热型主要表现为阴部瘙痒,甚则痒痛,坐卧不安,带下量多,色黄如脓,或呈泡沫米泔样,其气腥臭,心烦少寐,舌苔黄腻,脉弦数。肝肾阴虚则主要表现为阴部干涩,灼热瘙痒,或带下量少色黄,甚则如血样,五心烦热,头晕目眩,口干不欲饮,腰酸耳鸣,舌红少苔,脉细数无力。

治　疗

1.足区按摩:肾脏(22)
输尿管(23)　膀胱(24)　肾上
腺(21)　子宫(50)　生殖腺
(36)　阴道(51)　以一手持
脚,另一手半握拳,食指弯曲,
以食指第1指间关节顶点施
力,定点按摩 3～4 次(图
162)。

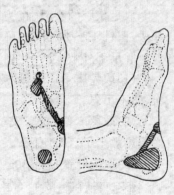

图 162

2.足穴针灸

(1)经穴针灸:取照海　然谷　毫针平补平泻,不灸,留针15～20分钟。

(2)足象针针灸:取足伏脏的腹腔、会阴,胫倒脏、腓倒脏的下腹部,针用平补平泻法,留针15～20分钟不灸。

3.足部外敷

（1）用于湿热下注引起的阴痒：萹蓄 30g　生薏米 20g　川牛膝、瞿麦各 20g　滑石 15g　通草 15g　厚朴 6g　若痛甚则加焦山栀、龙胆草；苔黄腻，纳呆，四肢乏力加苍术、藿香；若长期低热、腹胀加杏仁、蔻仁、淡竹叶、苍术、黄柏、大腹皮；兼患滴虫者加蛇床子 30g。将以上诸药共研细末，用消毒纱布包成适当大小，包在足部按摩区上，2 天换药 1 次（《浙江中医杂志》1984，2）。

（2）病虫侵袭引起的阴痒：雄黄 1g　生烟叶 2g　明矾少许　鲜猪肝 60g　先将雄黄等三药共研细末，再将猪肝切成三角形，在肝上扎些小孔，把药粉撒在小孔内放诸按摩反应区上。

妊娠恶阻

妊娠后出现恶心呕吐，头晕厌食，或食入即吐者，称为“恶阻”，也称“妊娠呕吐”。常常因为胃气素虚，受孕之后，气逆犯胃所致。或肝气犯胃，胃失和降而致。或脾虚生湿，痰湿停滞，浊气上逆所致。胃虚型表现为脘腹胀满，恶心呕吐，或食入即吐，或呕吐清涎，神倦思睡，舌淡苔白，脉缓滑无力。肝热型表现为胸闷胁痛，呕吐苦水或酸水，嗳气叹息，头胀而晕，精神抑郁，苔薄黄，脉弦滑。痰滞型表现为呕吐痰涎，胸闷纳呆，心悸气短，口淡乏味，苔白腻，脉滑。

治　疗

1.足区按摩：垂体（4）　肾（22）　输尿管（23）　膀胱（24）　甲状腺（12）　肾上腺（21）　子宫（50）　以一手持脚，

另一手半握拳,食指弯曲,以食指第 1 指间关节顶点施力,用轻手法定点按摩 3～4 次(图 163)。

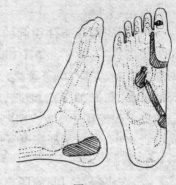

图 163

2.足穴针灸

(1)经穴针灸:取内庭 丘墟 太冲 公孙等 胃虚型用补法,肝热型和痰滞型用泻法,留针 15～20 分钟。胃虚型可以用灸法,灸 15 分钟左右。

(2)奇穴针灸:取独阴 内踝前下 女膝 虚寒型针用补法,可灸;实热、痰湿型用泻法,不灸,留针 15～20 分钟,灸 15 分钟左右。

(3)足针针灸:取胃穴 虚寒型针用补法,可灸;实热、痰湿型用泻法,不灸。留针 15～20 分钟,灸 15 分钟左右。

(4)足象针针灸:取足伏脏的腹腔、胫倒脏、腓倒脏的上腹部。虚寒型用补法,可灸;实热型用泻法,不灸。留针 20 分钟,灸 15 分钟左右。

慢性盆腔炎

盆腔炎是妇女盆腔内的生殖器官(子宫、输卵管、卵巢)及其周围结缔组织发炎的总称。急性发病时,有发热、下腹痛和局部触痛症状。转为慢性时则有腰酸、月经不调和不孕等症状,属中医学的"腹痛"、"症瘕"范畴。慢性盆腔炎的患者常有急性盆腔炎、不孕病史。中医认为本病的发生,或肝肾阴亏,或气血不足所致。肝肾阴亏者,下腹隐痛,带下量多,色黄质稀,腰膝酸软,头晕,舌红少苔,脉沉细数。气血不足者,少腹隐痛,面黄乏力,纳呆,月经后延,量少色淡,舌淡苔白,脉虚。

治 疗

1.足区按摩:生殖腺(36)　子宫(50)　肾(22)　下腹部(37)　垂体(4)　输尿管(23)　膀胱(24)　肾上腺(21)　甲状腺(12)　甲状旁腺(13)　以一手持脚,另一手半握拳,食指弯曲,以食指第1指间关节顶点施力,定点按摩 3～4 次(图164)。

2.足穴针灸

(1)经穴针灸:取足临泣　中封　太溪　然谷　双侧取穴,针用补法,可灸。留针 20 分钟,灸 15 分钟。

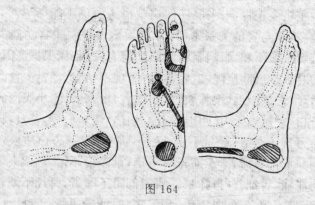

图 164

(2)足针针灸:取痛经$_2$　针用补法,可用灸法。留针 15～20 分钟,灸 15 分钟左右。

(3)足象针针灸:取足伏脏的腹腔、胫倒脏、腓倒脏的下腹部。针用补法,留针 15～20 分钟,亦可以用灸法,灸 15 分钟左右。

3. 足部外敷:取川椒　大茴香　乳香　没药　降香末各适量　共研细末,用干面粉调羹,高粱酒少许,调湿摊铺于纱布,置于足部按摩区生殖腺区。用热水袋热敷,日2次。用于慢性盆腔炎有包块,用内服药不能显效者。

4. 足部功法

腰痛导引法:取坐位,将两脚伸平,足五趾朝上,以两手五指抚摸足五趾上,治疗因慢性盆腔炎引起的腰痛(《诸病源候论》)。

不 孕 症

不孕症是指女子结婚后,夫妇正常同居1~2年以上,配偶生殖机能正常,未采取任何避孕措施而仍不能怀孕者。肾主生殖,不孕与肾的关系密切,并与天癸、冲任、子宫功能失调、或脏腑气血不和、影响胞脉胸络功能有关。临床根据病因病理分为肾虚、肝郁、痰湿、血瘀等型。肾虚不孕者,经量少色淡,经期后延,性欲减退,腰膝酸软。阳虚者,形寒肢冷,小腹冷痛,舌淡苔白,脉沉迟无力。阴虚者五心烦热,头晕心悸,苔黄,脉弦。气血亏虚不孕者,经量不定,色淡,面黄疲倦,苔白质淡,脉沉细弱。肝郁气滞者,经期先后不定,量多少不定,色紫夹瘀块,胸胁胀痛,舌红苔白,脉弦。痰湿郁阻不孕者,月经不调,量少色淡,带下较多,色白质稀,胸闷腹胀,纳少便溏,舌胖大,苔白腻,脉滑。宫寒血瘀型则表现为月经不调,经色紫暗,挟瘀块,经期小腹冷痛,苔白质暗,有瘀斑,脉沉。湿热内阻型则少腹疼痛,临经尤甚,低热,黄带较多,月经淋漓,苔黄腻、脉滑数。

治 疗

1.足区按摩:取脑垂体
(4) 肾脏(22) 生殖腺(36)
子宫(50) 阴道(51) 甲状腺
(12) 甲状旁腺(13) 肾上腺
(21) 输尿管(23) 膀胱(24)

以一手握脚,另一手食指、
中指弯曲成钳状夹住被施术的
踇趾,以食指第2节指骨内侧

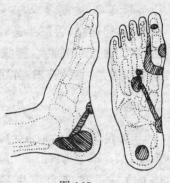

图 165

固定于反射区位置,以拇指在其上加压,定点按压3~4次(图
165)。

2.足穴针灸:取涌泉 然谷 虚者针用补法,实者针用泻
法,留针15~20分钟。阳虚型亦可针后加灸,灸10~15分钟。

3.足象针灸:取足伏脏的腹腔、胫倒脏、腓倒脏的下腹
部,取足伏象、胫倒象、腓倒象的腰。虚者针刺用补法,实者针
用泻法,留针15~20分钟。阳虚型可用灸法,灸10~15分钟。

更年期综合征

更年期综合征指更年期妇女因卵巢功能衰退直至消失,
引起内分泌失调和植物神经功能紊乱的症状,属中医学中"绝
经前后诸症"的范畴,是妇科常见病,多见于45岁以上的妇
女,常可出现潮热出汗、心悸、抑郁,易激动,失眠,皮肤麻木,
蚁行感等。祖国医学认为妇女在绝经前后,肾气渐衰,冲任二
脉虚衰,天癸渐竭,月经将断而至绝经,以肾虚为主,并可累及
心、肝、脾。偏于肾阴不足:月经推迟,稀发或闭经,阴道干涩,

伴头晕耳鸣,失眠多梦,皮肤瘙痒,烘热汗出,五心烦热,哭笑无常,易怒健忘,舌红少苔,脉细数。偏于肾阳亏损:月经量多,崩漏,闭经,面黯神疲,腰膝酸软,形寒肢冷,肢体浮肿,便溏,尿频或失禁,舌淡苔白,脉沉细无力。

治　疗

1.足区按摩:取头(1) 颈项(7)　肾上腺(21)　脑垂体(4)　子宫(50)　生殖腺(36)　甲状腺(12)　胰腺(17) 腹腔神经丛(20)　以一手持脚,另一手半握拳,食指弯曲,以食指第一指间关节顶点施力,定点按摩 3～4 次(图166)。

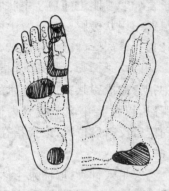

图 166

2.足穴针灸

(1)经穴针灸:取太冲　太溪　照海　针刺用平补平泻法,虚证可用温和灸。留针 15～20 分钟,灸 10～15 分钟。

(2)足象针针灸:取足伏脏的胸腔、腹腔,胫倒脏、腓倒脏的胸腔、上腹部、下腹部;足伏象、胫倒象、腓倒象的腰部。针刺用平补平泻法,虚证可用温和灸。留针 15～20 分钟,灸 10～15 分钟。

胎 位 不 正

胎儿娩出前,以枕前位占绝大多数,枕先露出为正常胎位。除此而外,枕后位、臀位、横位、臂位等均属胎位不正。多在产前检查时发现,应及时纠正复位,以免分娩时出现难产。

治 疗

1.足区按摩:取肾脏(22)
生殖腺(36) 子宫(50) 肾上腺
(21) 脑垂体(4) 以一手持脚,
另一手半握拳,食指弯曲,以食指
第1指间关节顶点施力,定点向
深部按压3～4次(图167)。

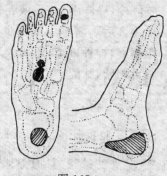

图 167

2.足穴针灸

(1)经穴针灸:取双侧至阴穴。针刺用平补平泻法,或用
灸法,针刺15～20分钟后,灸15～20分钟,每天1～2次,至
胎位转正为止。

(2)足象针针灸:取足伏脏的腹腔、胫倒象、腓倒象的下腹
部。针刺用平补平泻,或用温和灸,针刺15～20分钟,灸15分
钟左右。

3.足部外敷:取鲜姜 大蒜各适量 捣烂成糊状,敷贴在
子宫、生殖腺、肾脏对应区,外用油纸盖好,胶布固定,于2～3
天取下换敷,7次为1个疗程。

产 后 血 晕

产妇分娩后,突然头晕眼花,不能坐起,或心胸满闷,恶心
呕吐,痰涌气急,心烦不安,甚则不省人事,称为"产后血晕"。
多由产妇气血虚弱,复因产时失血过多,以致营阴下夺,气随
血脱;或产时感寒,血为寒凝,瘀滞不行,以致血瘀气逆,并走
于上,扰乱心神,而致血晕。血虚为病者表现为产后失血过多,

突然晕眩,面色苍白,心悸,渐至昏不知人,眼闭口开,甚则四肢厥冷,冷汗淋漓,舌淡无苔,脉微欲绝或浮大而虚。血瘀者表现为产后恶露不下或量少,少腹阵痛拒按,甚则心下急满,气粗喘促,神昏口噤,不省人事,两手握拳,牙关紧闭,面色紫黯,唇舌均紫,脉涩。

治 疗

1.足区按摩:取肾脏(22) 心脏(33) 脾脏(34) 输尿管(23) 肾上腺(21) 以一手持脚,另一手半握拳,食指弯曲,以食指第1指间关节顶点施力,定点按摩3~4次(图168)。

图168

2.足穴针灸

(1)经穴针灸:取涌泉 然谷 照海 行间 血虚者,针刺用补法,或用灸法。留针15~20分钟,灸15分钟左右。血瘀者用泻法。

(2)奇穴针灸:取小趾尖 大趾聚毛 血虚者针刺用补法,留针15~20分钟,或用灸法,灸15分钟左右。血瘀者用泻法。

(3)足针针灸:取眩晕点 肾 针以平补平泻法,留针20分钟,虚则用灸法,灸10~15分钟。

(4)足象针针灸:取足伏脏的胸腔、腹腔、胫倒脏、腓倒脏的胸腔、上下腹腔、头。血虚型用补法,或灸,针或灸20分钟左右;血瘀型用泻法,不灸。

3.足部外敷

(1)气血两亏型:取川芎、当归、黄芪、党参、白术、熟地、茯神、枣仁、柏子仁各32g 半夏、陈皮、麦冬、甘草各15g 研末敷于足区心、肾、脾、肾上腺、输尿管上。

(2)血瘀型:取当归64g　川芎32g　桃仁、姜炭、甘草、红花、延胡索、官桂、五灵脂、香附各15g　用麻油熬,黄丹收,敷于足部按摩对应区脾、肾脏上。

缺　乳

产后乳汁分泌甚少,不能满足婴儿需要者称为"缺乳",亦称"乳少"、"乳汁不足"、"乳汁不行"。本证不仅出现于产后,在哺乳期亦可出现。其发病因为脾胃素虚,生化之源不足,复因分娩失血过多,气随血耗,以致气虚血少,乳汁因而甚少或全无;或产后情志抑郁,肝失条达,气机不畅,以致经脉涩滞,阻碍乳汁运行,因而乳汁缺少,甚至不下。气血虚弱者表现为乳汁不下或下而量少,乳房无胀满感,面色无华,头晕纳少,神疲倦息,舌淡胖,苔薄,脉虚细。肝郁气滞型表现为两乳胀满作痛,甚则薰蒸发热,情志郁闷不舒,胸闷嗳气,苔薄黄,脉弦。

治　疗

1.足区按摩:取上身淋巴(39)　脑垂体(4)　甲状旁腺(13)　肾脏(22)　肾上腺(21)　胸(43)　生殖腺(36)　胸部淋巴(41)　(见图169)。

2.足穴针灸

(1)经穴针灸:取足临泣太冲　地五会　虚者针用补

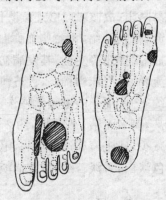

图169

法,可灸;实者针用泻法,不灸。留针15～20分钟,灸10～15

分钟。

(2)足象针针灸:取足伏脏的胸腔、腹腔,胫倒脏、腓倒脏的胸腔、上腹部。虚者针用补法,可灸;实者针用泻法,不灸,留针 15～20 分钟,灸 10～15 分钟。

第三节　儿科疾病

顿　咳

顿咳又名百日咳,是小儿时期常见的急性呼吸道传染病。临床特征:初期类似上呼吸道感染,继而出现数周的阵发性、痉挛性咳嗽,咳毕有特殊的"鸡鸣"样吸气声或伴有呕吐。常常由于感染时邪疫毒之气,束闭肺胃,与肺之清津交结而为痰,阻于气道,致清肃失令,上逆则出现咳呛。因痰液壅结肺络,不易咯出,故咳嗽时必连续阵作,待痰涎吐尽而后暂止。咳久不愈,伤及肺络,可致咯血、衄血;若肺闭或痰邪上蒙清窍,可致抽搐、昏迷等变证。其发病初咳期约 1～2 周。证见咳嗽、喷嚏、流涕、吐泡沫样稀痰,舌苔薄白,脉浮有力,指纹淡红。痉咳期,约 4～6 周。咳嗽频频阵作,咳后有回吼声,反复不已,入夜尤甚,痰多而粘。恢复期,约 2～3 周。咳嗽次数和持续时间逐渐减少,回吼声亦逐渐消失,呕吐减少或咳而无力,痰稀而少,唇色淡白,舌淡苔少,指纹清淡。

治　疗

1.足区按摩:取垂体(4)　肺(14)　肾上腺(21)　肾脏

(22)上身淋巴(39)　以一手持脚,另一手半握拳,食指弯曲,肺区内,以食指第1指间关节顶点施力,自内侧(踇趾一侧)向外侧(小趾一侧)按摩约4~5次。其余穴区均定点按摩3~4次(图170)。

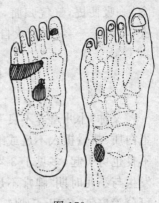

图170

2.足穴针灸

(1)经穴针灸:取窍阴　大钟针刺行提插捻转泻法,不灸,留针15~20分钟。

(2)足针针灸:取肺穴针刺用泻法,不灸,留针15~20分钟。

(3)足象针针灸:取足伏脏、胫倒脏、腓倒脏的胸腔。针刺用泻法,留针15~20分钟,不灸。

3.足部外敷

(1)麻黄1.5g　面粉、甜酒各9g　将前药调敷为饼,贴于肺对应区等,每日敷2~3次。

(2)百部　麻黄　白及　黄连　甘草各60g　芦根150g麻油熬上药枯后去渣,黄丹收膏,贴药于足区(同上),1次取2~3区,用于百日咳初咳期、痉咳期无并发症者。

4.足部功法

痰火导引法:以端正体坐在床上,双足向前伸出,踝关节呈垂直状,足尖向上翘起。排出杂念,安定心神,左右手五指指尖各自并拢在一起呈掐诀状,双臂用力向前平伸,上身向前躬,头尽量下低,用双手扳足尖,反复3次后,双手仍呈掐诀状,将口中唾液咽下,如此练24次。再练运功,静心,调息,默

念,一吸便提,气气归脐,然后将气运至尾闾,在此运转 8～9
次,再静养一会儿,痰火自然下降(《保生秘要》)。

疳 积

又称"小儿营养不良",是一种慢性营养缺乏症,主要由于
蛋白质、热量摄入不足或继发于各种慢性疾病,长期消化吸收
不良也可引起,多见于 3 岁以下的小儿。祖国医学认为本病的
发生与小儿时期"脾常不足"的生理特点有关。依病情的轻重
可分为疳气、疳积、干疳。疳 气:形体消瘦,面色萎黄少华,毛
发稍稀,厌食易怒,便秘或溏,苔薄白,脉细滑。多见于疳证初
起;疳积:较疳气重。体瘦腹胀,面黄无华,毛发稀黄,神疲纳
呆,或多吃多便,动作异常,苔白,舌质淡,脉濡,多见于疳气中
期;干疳:为疳气重候。极度消瘦,皮肤干瘪起皱,大肉已脱,皮
包骨头,精神萎靡,毛发干枯,腹凹如舟,不思饮食,便秘或溏,
时有低热,舌淡苔少,见于疳气晚期。

治 疗

1. 足区按摩:取胃(15) 十
二指肠(16) 肝脏(18) 胆囊
(19) 小肠(25) 脾脏(34) 腹
腔神经丛(20) 以一手持脚,另
一手半握拳,食指弯曲,以食指第
1 指间关节顶点施力,定点按摩 3
～4 次(见图 171)。

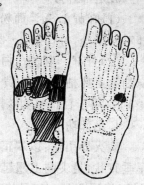

图 171

2. 足穴针灸

(1)经穴针灸:取内庭 公孙 商丘 针刺用补法,留针

— 186 —

15～20分钟,或用灸法,灸15分钟左右。

(2)奇穴针灸:取然谷针刺用补法,留针15～20分钟,或用灸法,灸15分钟左右。

(3)足针针灸:取胃 脾 针刺用补法,留针20分钟,或用灸法,灸15分钟左右。

(4)足象针针灸:取足伏脏的腹腔、胫倒脏、腓倒脏的上腹部。针刺用补法,留针20分钟,或用灸法,灸15分钟左右。

3.足部外敷

(1)生栀仁30粒 桃仁7粒 皮硝7g 葱头7个 飞罗面1匙 鸡蛋1个(去黄) 蜂蜜适量 共为细末,用蜂蜜、蛋清调匀,用纱布托敷于足按摩区脾、胃上,忌食生冷、鱼腥、点心。本方用以清热、活血、消积。

(2)生栀仁30粒 杏仁7g 白胡椒6g 鸡蛋1个去黄葱头7个 面粉1匙 丁香30粒 共研细末,用高粱烧酒、蛋清调匀,用纱布贴敷于两足心。

(3)桃仁、杏仁、生山栀各等份 晒干研末,加冰片、樟脑少许,取药末15～20g,用蛋清调成糊状,干湿适宜,敷于双侧涌泉穴,用纱布包之,不宜太紧,24小时去之。用以行气、消积、化瘀、除热。

(4)将玄明粉3g 胡椒粉0.5g 直接放入足按摩区脾、胃上,外敷纱布,用胶布固定,每日换1次。

4.足部功法

呕吐导引法:端坐在凳上或床上,两腿伸直,以足跟着地(或着床),足趾向上翘起,以两手指握足五趾,然后上身恢复原位,共作几次,能治愈食欲不振(《古今医统》)。

痄　腮

痄腮又称"流行性腮腺炎"，是由腮腺炎病毒引起的一种急性传染病。临床以发热、耳下腮部肿胀疼痛为特征。常见于冬春两季，易侵犯 5～10 岁左右的学龄儿童。潜伏期为 2～3 周。该病主要由风热疫毒所致。病邪从口鼻而入，壅阻少阳经络，结于腮部，故耳下腮颊漫肿，坚硬作痛。若邪毒传至足厥阴肝经，则可并发睾丸肿痛；若温毒炽盛，窜入营分，陷入心包，则可发生痉厥昏迷。温毒在表可表现为畏寒发热，头痛轻咳，耳下腮部酸痛，咀嚼不便，继之一侧或两侧腮部肿胀疼痛，边缘不清，舌苔薄白微黄，脉浮数。热毒蕴结可见高热头痛，烦躁口渴，食欲不振或伴呕吐，精神倦怠，腮部漫肿，灼热疼痛，咽喉红肿，吞咽不利，大便干结，小便短赤，甚则神昏惊厥，舌苔黄腻，脉滑数。

治　疗

1. 足区按摩：取垂体（4）肾上腺（21）　上身淋巴（39）喉（48）　扁桃腺（45）　以双手拇指指端同时施力，或以一手握脚，另一手食指第 1 指间关节顶点施力，定点按摩 3～5 次（图 172）。

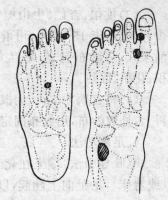

图 172

2. 足穴针灸

（1）经穴针灸：取大都　陷谷　内庭　然谷　针刺用泻法，留针 20 分钟，不灸。

（2）足针针灸：取扁桃$_1$　扁桃$_2$　眩晕点　针用泻法，留针20～30分钟。

（3）足象针针灸：取足伏脏、胫倒脏、腓倒脏的面部，针刺行泻法，留针20分钟。

3.足部外敷

（1）取吴茱萸9g　虎杖5g　紫花地丁6g　胆南星3g共研细末，取6～15g，加醋调成糊状，敷扁桃腺区再覆以纱布，用胶布固定。

（2）取樟脑45g　花椒15g　冰片6g　芒硝30g　花椒粉碎，铺于锅底，再将樟脑、冰片、芒硝研成细粉，均匀撒布花椒上，用泥碗覆于口，用白矾或泥盐封固碗口，然后用文火烧炼30～40分钟，冷后开启药碗，药成白色晶体，研碎，取少许撒于膏药上面，贴于足对应区扁桃腺处。

遗　尿

　　小儿遗尿是指3岁以后的小儿夜间或白昼仍不自主地排尿的一种病证。本病常见于睡眠中。临床上，一般分器质性和功能性两类。器质性遗尿：①神经系统疾病，如隐性脊柱裂、腰椎损伤、脑炎后遗症、癫痫等；②泌尿系统疾病，如后尿道瓣膜、输尿管开口异常及泌尿系感染；③由于膀胱中尿量过多而遗尿、蛲虫病因局部刺激引起排尿。功能性遗尿：①精神过度紧张，幼儿的随意排尿功能尚未成熟，夜间尿床形成恐惧心理，睡前即感精神紧张；②体力过度疲劳，多见于男孩，白天贪玩，夜间睡眠过熟；③缺乏合理的训练。1岁以后，家长未注意训练孩子随意排尿功能，没有逐步养成自主排尿的习惯；④家族遗传因素等原因。祖国医学认为，本病病因不外肾气不足，膀胱不能制约所致,日久气虚,每见精神不振、食欲不佳等全身症状。

治 疗

1. 足区按摩:取肾脏(22)输尿管(23)　膀胱(24)　尿道(51)　脑垂体(4)　以拇指固定,食指弯曲呈镰刀状,以食指内侧缘施力刮压3～4次。或以拇指指腹施力按摩3～4次(图173)。

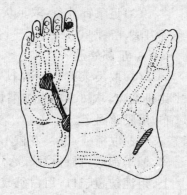

图173

2. 足穴针灸

(1)经穴针灸:取太冲　行间　水泉　太溪　针刺用补法,留针30分钟,或用灸法,灸15分钟左右。

(2)足针针灸:取遗尿　针刺用补法,留针30分钟,或用温和灸,灸15分钟左右。

(3)足象针针灸:取足伏象、胫倒象、腓倒象的胸腔、上腹腔、下腹腔。针刺用补法,留针20分钟,或用灸法,灸15分钟左右。

3. 足部外敷

(1)取生姜30g　捣烂,炒热,于临睡前包在肾对应区。

(2)取五倍子适量,研为粉末,用开水调成膏,敷于肾对应区上。

(3)硫黄20g　大葱120g　先把硫黄研为细末,再和大葱一起捣,烘热,于晚上敷于肾、膀胱区,且用热水袋热敷,次日去掉,连用10余次。

腹　泻

　　小儿腹泻又名消化不良症、急性胃肠炎、肠炎等。在婴幼儿时期，它是发病率极高的疾病之一，夏秋季发病最多，主要发生于2岁以下的婴幼儿。其病因以感受外邪、内伤饮食和脾胃虚弱等为多见。其主要病变在于脾胃，因胃主腐熟水谷，脾主运化精微，如脾胃受病，则饮食入胃，水谷不化，精微不布，合污而下所致。根据发病原因，临床分为：伤食泻：腹部胀痛，痛则欲泻，泻后痛减，大便腐臭，状如败卵，嗳哕腐食，或呕吐不消化食物，舌苔垢腻，脉滑而实。湿热泻：泻下稀薄，色黄而秽臭，腹部疼痛，身热口渴，肛门灼热，小便短赤，舌苔黄腻，脉滑数。阳虚泻：时泻时止，或久泻不愈，大便溏或完谷不化，每于食后作泻，纳呆，神疲肢倦，面色萎黄，甚则四肢厥冷，睡后露睛，舌淡苔白，脉细缓。

治　疗

　　1. 足区按摩：取腹腔神经丛(20)　小肠(25)　胃(15)　结肠(28～30)　十二指肠(16)　肝脏(18)　胆囊(19)　脾脏(34)　以一手持脚，另一手半握拳，食指弯曲，食指第一指间关节顶点施力，由脚趾向脚跟方向，由脚跟向脚趾方向，及定点施力按摩3～4次(图174)。

　　2. 足穴针灸

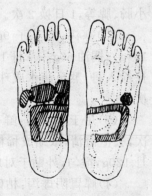

图174

（1）经穴针灸：取太白　公孙　虚者针用补法，实者针用泻法，留针 20 分钟。阳虚、寒湿泻可用灸法，灸 15 分钟左右。

（2）奇穴针灸：取阴阳　女膝　实证针刺用泻法，虚证针刺用补法，留针 20 分钟。阳虚、寒湿泻可用灸法，灸 15 分钟左右。

（3）足针针灸：取脾　小肠　大肠　实证针刺用泻法，虚证针刺用补法，留针 20 分钟。阳虚、寒湿泻可用灸法，灸 15 分钟左右。

（4）足象针针灸：取足伏脏的腹腔、胫倒脏、腓倒脏的下腹腔。实证针刺用泻法，虚证针刺用补法，留针 20 分钟，阳虚、寒湿泻可用灸法，灸 15 分钟左右。

3. 足部外敷

（1）用于湿热泻：朱砂 3g　硼砂 1.8g（炒）　麝香 0.1g　火硝 3g　礞石（煅）1.2g　金箔 5 张　雄黄 1.8g　冰片 0.9g　共研为细末，用开水调成膏，贴于足部对应区腹腔神经丛、胃、小肠、脾等，1 日换 2 次。

（2）寒泻：白芥子 9g　鲜姜 120g　红皮蒜 3 个　香油 180g　桐油 60g　章丹 120g　将药浸油内，文火熬焦去渣，再徐徐入丹，熬至滴水成珠待用。敷于足对应区（同上），1 日 2 次。

（3）用于寒湿泻：鲜苍耳草 2 份　鲜姜 1 份　共煮 3～4 次，去渣澄清，浓缩成稀糊状，然后加入黄丹，500g 药糊，加黄丹 120g，搅匀，外贴于对应区（同上）。

（4）脾胃阴虚泻：枯矾 50g　白面 20g　米醋适量　将枯矾研为细末，加入米醋、白面共混合搅拌，调均匀，使成稠糊状，覆以纱布，胶布固定于足区（同上），1 日换药 3～5 次。

4. 足部薰浴

(1)取葛根 50g　白扁豆 100g　车前草 150g　前药加水 2000ml,煎 20～30 分钟,将药液倒入盆内,然后对温开水,以超过足踝为度,水温保持 30℃左右,浸泡脚部 30～60 分钟,每日 2～3 次。主治湿热泻。伤食泻加莱菔子 20g,脾虚泻加凤仙花 30g 或桂枝 50g(《山东中医杂志》,(2):12,1989)。

(2)取鬼针草 5 株,加水浸泡 15 分钟,煎成浓汁,连渣放入桶内,熏洗患儿双脚,每次 5 分钟,间隔 2 分钟,连续熏洗 3～4 次。每日进行 4 次。1～5 岁熏洗脚心,5～15 岁熏洗到脚面,腹泻加重者熏洗部位可适当提高。本方法适用于小儿单纯性腹泻(《中药外治方药手册》)。

小 儿 麻 痹

小儿麻痹又称"小儿痿证",西医学称"小儿脊髓前角灰质炎",是由脊髓灰质炎病毒引起的急性传染病。四季均可见散发病例,夏秋季节发病较多,患者多为 5 岁以下婴幼儿。祖国医学认为本病由于风、湿、热邪由口鼻侵入肺胃二经,首先出现发热、咳嗽、咽红或呕吐、腹泻等"邪犯肺胃"的证候。继而诸邪流注经络,致使相应部位经络阻塞,气血失调,出现肢体疼痛等症。嗣后因筋脉、肌肉失养而发生肢体麻痹和瘫痪。由肺热引起的可表现为发热、咳嗽、咽红、呕吐、腹泻、肢体疼痛,继而萎软无力,苔薄白,脉细数。由湿热引起的常可表现为发热、肢体疼痛而沉重,继而肢体萎软,或腹肌弛缓呈膨出状,兼见烦躁,或嗜睡,汗多,苔黄腻,舌质红,脉濡数。

治　疗

1.足区按摩:取脑垂体(4)　头(1)　小脑(3)　腹腔神经

丛(20) 　上身淋巴(39) 　下身淋巴(40) 　胃(15) 　小肠(25)
肝脏(18) 　胆囊(19)

若上身麻痹:肩(10) 　肩胛(59) 　肘(60) 　斜方肌(11)
颈(53) 　胸椎(54)

若下身麻痹:髋关节(38) 　膝(35) 　腰(55) 　骶(56)
(图175)

2. 足穴针灸

(1)经穴针灸:取解溪　冲阳　内庭　厉兑　针刺用泻
法,留针20分钟,不灸。

(2)奇穴针灸:取下昆仑　针刺用泻法,留针20分钟,不
灸。

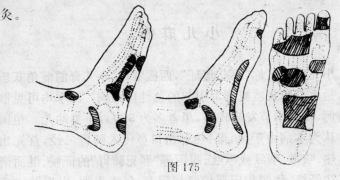

图 175

(3)足象针针灸:取足伏脏头　颈　胸腔　胫倒脏　腓倒
脏的头、颈、胸腔;若上肢麻痹,配足伏脏、足伏象、胫倒脏、腓
倒脏、胫倒象、腓倒象的上肢;若下肢麻痹,配足伏脏、足伏象、
胫倒脏、腓倒脏、胫倒象、腓倒象的下肢。针刺用泻法,留针20
分钟,不灸。

3. 足部外敷:取老鸦花藤60g,研细,加粗糖炒热,包在按
摩区域内,3天换1次。

4. 足部功法

瘫痪导引法：如果患在左脚，坐在平凳上，调息，静心，以左脚盘在右膝上，左手托脚跟，右手扳脚尖，头转向左侧；若患在右脚，方法同前，方向相反，用力扳，可除风、寒、暑湿之邪（《保生秘要》）。

急 惊 风

急惊风为儿科常见急症之一。临床以神昏、四肢抽搐、口噤、角弓反张等为主证。因其发病迅速、症情急暴，故称为急惊风。急惊风属阳、属热、属实，多见于 3 周岁以下的小儿，年龄越小发病率越高。本证常见于小儿高热、脑膜炎、脑炎、血钙过低、脑发育不全、癫痫、中毒型菌痢等疾病。本病常由于小儿肌肤薄弱，腠理不密，极易感受时邪，化火生风，内陷厥阴，而致神昏抽搐。或乳食不节，积滞胃肠，痰浊内生，气机壅阻，阻而化热，热极生风，酿成本病。或小儿神气怯弱，元气未充，若乍见异物、乍闻怪声或不慎跌仆，因暴受惊恐，恐则气下，惊则气乱，神无所依，亦可引起惊厥。若兼见发热、头痛、咳嗽、咽红，为外感惊风。若兼见发热、呕吐、喉间痰鸣、便秘或大便腥臭、挟有脓血为痰热惊风。若兼见四肢欠温，夜卧不宁或昏睡不醒，醒后哭啼易惊。

治 疗

1.足区按摩：取头（1）　肾上腺（21）　垂体（4）　甲状旁腺（13）　扁桃腺（45）　脾脏（34）　上身淋巴（39）　以双手拇指指端同时施力，或以一手握脚，另一手食指第 1 指间关节顶点施力，定点按摩 3～5 次（图 176）。

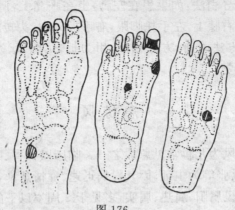

图 176

2.足穴针灸

（1）经穴针灸：取涌泉　太冲　足窍阴　针刺用泻法，留针 20 分钟，不灸。

（2）奇穴针灸：取内至阴　里内庭　针刺用泻法，留针 20 分钟，不灸。

（3）足象针针灸：取足伏象、胫倒象、腓倒象的头顶部，足伏脏的胸腔、腹腔，胫倒脏、腓倒脏的胸腔、上腹腔。针用泻法，留针 20 分钟，不灸。

3.足部外敷

（1）取山栀、桃仁、面粉各等份　山栀为末，桃仁捣泥，与面粉各加鸡蛋清调和，敷于足对应区（同前），用以泻火息风。

（2）杏仁 7 粒　桃仁 7 粒　栀子 7 个　飞罗面 15g　共捣烂，用好烧酒调匀，敷于足对应区肾上腺、扁桃腺等，用以清心泻火，下气行瘀，安神息风。

（3）取黄芪、党参、炮附子各 32g　白术 64g　煨肉蔻仁、酒炒白芍、炙甘草各 15g　丁香 10g　炮姜炭 6g　麻油熬，黄丹收，掺肉桂末贴于足区（同上）。本法用以温中健脾。

第四节　外科疾病

疔疮、痈

疔疮是常见的外科急症,好发于头面及手足。因其初起形小根深,底脚坚硬如钉,故名疔疮。可因发病部位和形状不同而有"人中疔"、"锁口疔"、"蛇头疔"、"红丝疔"等名称。

疔疮轻者,无全身不适。重者初期可伴恶寒发热,中期伴有发热口渴,便秘尿黄,苔黄腻,脉数,后期一般随局部症状减轻而消失。

痈是多个相邻的毛囊和皮脂腺的急性化脓性感染,或由多个疖融合而成,属于中医"外痈"范畴。本病多见于中老年人,或有糖尿病的患者。发病初期,局部呈片状暗红色浸润区,微隆起,周围肿硬,界限不清。成脓期,表面有多个脓栓。溃后中心部呈"火山口"状。由于发病部位不同,中医命名亦不同,发于项部者称"对口",发于背部者称"发背"、"搭手"。

疔疮与痈在病因、病机、症状及治疗诸方面均有密切联系,故在一起论述。

治　疗

1. 足区按摩:生殖腺(36)上身淋巴(39)　腹部淋巴(40)肾上腺(21)　(图177)。

2. 足穴针灸

(1)经穴针灸:取足窍阴、束骨穴。毫针刺用泻法,留针15

～20 分钟。

（2）足象针针灸：病灶在胸腹侧者，取胫倒脏、腓倒脏与疖肿相对应部位；病灶在腰背侧者，取胫倒象、腓倒象与疖肿相对应部位。施以较重的捻转、提插手法，留针 20 分钟。

3. 足部外敷：疗疮、痈发病后，附近的淋巴结往往出现炎症，可用下列药物外敷：生川乌　生草乌　生半夏　北细辛各 3g　大枣 10 枚

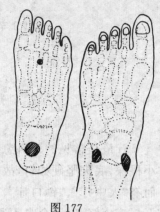

图 177

将上药研末，大枣去核，共捣如泥，盐水拌调，搓成丸子 1 个（大如鸽蛋），左侧淋巴结炎敷在右侧涌泉穴，反之亦然。

4. 足部薰浴：水蛭 30g　土虫 10g　桃仁 10g　苏木 10g　红花 10g　血竭 10g　川牛膝 15g　附子 15g　桂枝 20g　地龙 30g　甘草 15g　乳香 10g　没药 10g

将上药水煎取液，倒入木桶内，将足部放入温热的药液中薰洗（《中国民间疗法》）。

乳　痈

乳痈是乳房部急性化脓性疾患，西医学称"急性乳腺炎"。该病多发于哺乳期，尤以初产妇女发病率最高。发于哺乳期者为"产后乳痈"或"外吹乳痈"；发于妊娠期者名为"产前乳痈"或"内吹乳痈"。乳痈之严重者名为"乳发"，类似西医学的乳房部急性蜂窝织炎。

患者大多是产后未满月的哺乳妇女，尤以初产妇最为多见。发病部位大多为乳房外上方，常为单发。乳痈初期，乳房胀痛伴局部红、肿、热、痛，或有恶寒发热，同侧腋窝淋巴结肿大、疼痛。成脓期，乳房肿块增大，焮红疼痛，并有持续啄痛。若肿块中软，按之应指者脓已成；有的乳头内可有脓液排出，溃后流出黄稠厚脓，则肿消痛减。破溃后有时可形成瘘管，应及时治疗。

治　疗

图 178

1. 足区按摩：胸（43）胸部淋巴（41）　上身淋巴（39）　生殖腺（36）　（图178）。

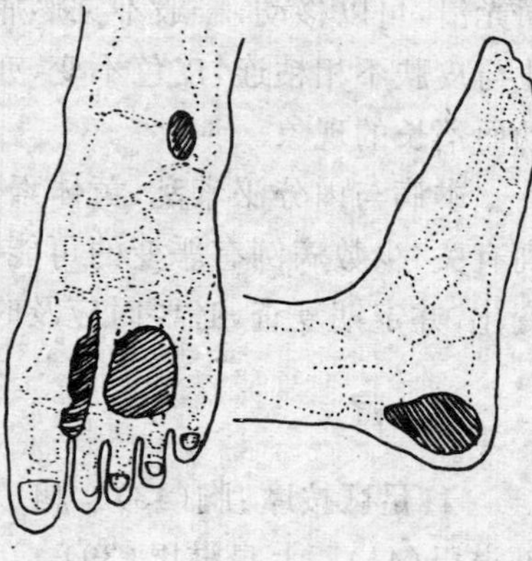

2. 足穴针灸

（1）经穴针灸：酌情选取下列腧穴：足临泣　地五会　照海　侠溪　束骨　行间　太冲　针刺用泻法，多用于乳痈初起，有行气、散瘀、止痛作用。

（2）足针针灸：取肺点针刺用中等强度刺激，留针20分钟。

（3）足象针针灸：取病灶侧（左侧乳痈，取左足）胫倒脏、腓倒脏或足伏脏的胸腔区。施以较重的提插、捻转手法，留针30分钟。

乳癖（乳腺增生）

本病是妇女乳房部常见的慢性肿块，多见于中老年妇女，是妇科常见病。该病中医称乳癖，西医称乳腺增生病。中医认为是肝气郁结，痰湿凝滞所致。

乳癖初起时，在乳房出现一个或数个大小不等的肿块，表面光滑，可以移动，一般不觉疼痛，少数病例可有轻微胀痛。肿块与皮肤不相粘连，皮色不变，亦不发热，不溃破，有随喜怒波动而消长的现象。

本病与内分泌紊乱、黄体素分泌减少，雌激素分泌相对增高有关。少数病例有恶变的可能，在治疗期间应注意观察病情变化，并定期复查，必要时应及时进行手术治疗。

治 疗

1.足区按摩：胸（43） 胸部淋巴（41） 上身淋巴（39）腹部淋巴（40） 肾脏（22） 输尿管（23） 膀胱（24） 生殖腺（36） （图179）。

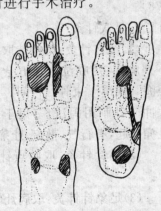

图179

治疗时要充分按摩胸区，每次20～30分钟为宜。足区按摩治疗乳癖有较好疗效，但需较长的过程。

2.足穴针灸

（1）经穴针灸：足临泣 地五会 太冲 依据病情，针刺采用泻法或平补平泻手法，留针30分钟。

（2）足针针灸：取肺点　针刺用轻刺激，留针 30 分钟。

（3）足象针针灸：取病灶侧（左侧乳癖，取左足）胫倒脏、腓倒脏或足伏脏的胸腔区。施以较轻的提插、捻转手法，留针 30 分钟。

丹　毒

丹毒是一种急性接触性感染性皮肤病。因其色如涂丹之状，故中西医均命名为丹毒。中医又因其发病部位不同而有多种名称，如发于头面者称"抱头火丹"，游走全身者称"赤游丹"，生于腿部者称"流火"。西医亦依据临床表现不同而冠以相应名称：局部仅有红肿，称红斑性丹毒；若出现水疱，内有浆液或脓液，称脓疱性丹毒；若炎症侵及皮下组织或有混合感染时，称蜂窝织炎性丹毒。

本病诊断要点如下：①局部先为小片红斑，迅速蔓延成鲜红色一片，稍高出皮肤表面，边缘清楚而稍突起，很快向四周蔓延。若热重出现紫斑时，则压之不退色。②患部肿胀灼热，表面紧张光亮，并有触痛，可并发水疱。③游走性丹毒，皮损有时一面消退，一面发展，约 5～6 日后患部中央皮色由鲜红转为暗红，逐渐脱屑而愈。

治　疗

1. 足区按摩：甲状旁腺（13）　肾上腺（21）　肾脏（22）膀胱（24）

根据病变部位选用上身淋巴（39）　胸部淋巴（41）或腹部淋巴（40）　（图 180）。

2. 足穴针灸

（1）足针针灸

取肺点　针刺用重刺激，
留针20分钟。

（2）足象针针灸

病灶在胸腹侧者，取胫倒
脏、腓倒脏与丹毒相对应部位；
病灶在背腰侧者，取胫倒象、腓
倒象与丹毒相对应部位。施以
较重的捻转、提插手法，留针
20分钟。

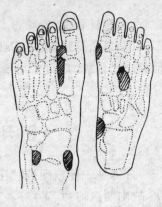

图180

急性胆囊炎

急性胆囊炎是指胆囊的急性化脓性疾病。属于中医"结
胸"、"胁痛"、"黄疸"范畴。

急性胆囊炎的发生主要是由于胆汁滞留和细菌感染所
致。临床可分为单纯性、化脓性、坏疽性三种，后二者可发生胆
囊积脓、胆囊穿孔等并发症。祖国医学认为，肝胆互为表里，胆
为中清之腑，主胆汁输藏，以疏泄为顺，若因情志所伤，饮食不
节，寒热失常，以致肝郁气滞，胆失疏泄而为病。

该病多见于中年妇女，突发右上腹持续性剧烈疼痛，呈阵
发性加剧，可向肩背部放射，常伴有恶心、呕吐、发热。查体时
右上腹有明显压痛和肌紧张，部分患者可扪及肿大而有触痛
的胆囊，胆囊区深吸气时有触痛反应。病程后期，少数人可有
轻度黄疸。

胆囊炎患者饮食宜清淡，尽量少吃高脂肪，特别是油炸食

品,以预防胆囊炎发作。

治 疗

1.足区按摩:肝脏(18)
胆囊(19) 胃(15) 十二指肠
(16) 上身淋巴(39) 固胆结
石所致胆囊炎者可按摩:肾脏
(22) 输尿管(23) 膀胱(24)
(见图181)。

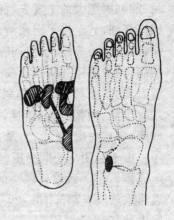

图 181

2.足穴针灸

(1)经穴针灸:足窍阴 地
五会 足临泣 针刺用泻法,
留针30分钟或1小时。

(2)奇穴针灸:针刺曲尺,施以泻法,留针30分钟。

(3)足针针灸:针刺肝点,施以重刺激,留针20分钟。

(4)足象针针灸:取右足胫倒脏、腓倒脏或足伏脏上腹部
胆囊相应区。施以较重的提插、捻转手法,留针30分钟。

3.足部功法

胆腑导引法:取坐位,调息,静止,将两脚掌相合,用两手
将两足踝部向上搬起,再恢复原位,上下摇动共15次,搬起时
头向后仰。可驱除胆腑邪气,治疗胆病引起的胁痛(《遵生八
笺》)。

前列腺疾病

前列腺疾病主要是指前列腺肥大、前列腺炎。男性随着年
龄的增长,前列腺肥大的发病率也随之增加,尤以老年更为多

见。前列腺肥大的主要表现是排尿困难，夜尿增多，排尿不净，尿流变细，甚至排不出尿液而出现尿潴留。同时可伴有腰酸腰痛，四肢无力等症状。前列腺炎是男性生殖系统最常见的一种疾病，约占泌尿外科门诊病人的 30% 左右，多发于中青年。主要表现为：尿频、尿急、排尿不畅，有时尿道流出白色分泌物，或有早泄、遗精、勃起不良，下腰部、耻骨上、会阴部及大腿部酸痛，多有失眠、乏力、头晕、记忆力差等神经衰弱症状。

由于会阴部长期受压（如长时间骑车、久坐或膀胱经常过度充盈），是导致前列腺炎的一种常见诱因，因此可于每晚用温热水薰洗会阴部 15～20 分钟，目的是明显减少前列腺炎的发生及复发。

部分中、老年妇女亦会发生有尿意却排不出来，或排尿不尽感，对于这种病变也可参照本节方法治疗。

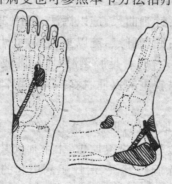

图 182

治 疗

1. 足区按摩：前列腺（50）　尿道（51）　肾脏（22）　肾上腺（21）　输尿管（23）　膀胱（24）　腹部淋巴（40）　骶骨（56）（图 182）。

每次按摩 10 多分钟,3 天后多可取效。取效后排尿次数减少,而排尿量增加,此时患者会出现倦怠感,这种现象会随病情进一步好转而消失,故不必担心。

若用香烟灸肾上腺、生殖腺区、肾脏、输尿管、膀胱、腰椎、骶骨区,亦可收到明显疗效。

2. 足穴针灸

(1)经穴针灸:可取至阴 涌泉 大钟 水泉 照海 大敦 行间 太冲 中封等腧穴。针刺用平补平泻手法,留针 20 分钟。

(2)奇穴针灸:曲尺 针刺施以平补平泻手法,留针 30 分钟。

(3)足针针灸:取脾 肾 膀胱 遗尿点。针刺用中等强度刺激,留针 30 分钟。

(4)足象针针灸:取双足的足伏脏或胫倒脏、腓倒脏下腹部肾、膀胱及会阴区。施以较轻的提插、捻转手法,留针 30 分钟。

3. 足部功法

(1)肾病功:两脚相交而坐,用两手握两脚的踝关节,尽力拉脚仰头,反复做 7 次,可祛除肾气壅塞(《诸病源候论》)。

(2)诸淋导引法:取下蹲位,臀部离地 33cm 左右,两手从外侧经膝弯下,由小腿内侧伸到足背上,立即用手各握一脚的五趾,尽力握 1 次,使五趾向内弯。可通利膀胱,疏利腰髋(《诸病源候论》)。

痔

痔是直肠下端粘膜下和肛管皮下的静脉丛发生扩大、曲张而形成的静脉团块。依其发病部位的不同,临床可分为"内痔"、"外痔"和"混合痔"。本病中医、西医均称为痔。

痔多发生于 20～50 岁之成年人,男性多于女性。外痔位于齿线之下方,在肛管及肛缘皮下由直肠下静脉丛曲张而形成。外痔又具体分为静脉曲张性外痔、血栓性外痔、炎症性外痔、结缔组织性外痔,故应进一步诊断。

内痔位于齿线之上方,由直肠上静脉丛曲张所形成。临床主要表现为便血,严重者可脱出肛门外。

混合痔为齿状线上、下的静脉丛同时曲张而成,具有以上两型之特点,且较为严重。

祖国医学认为,痔疾多因饮食不节,过食生、冷、辛、辣、饮酒过度,或因大便秘结,排便久蹲强努所致。

平素保持大便通畅,养成每天按时大便的习惯,少食辛辣等刺激性食物,及时治疗可引起腹内压增高的慢性疾病,如习惯性便秘、慢性咳嗽等,对于预防痔疾均有一定作用。

治 疗

1.足区按摩

(1)痔疮:肛门(32)　直肠(31)　肛门、直肠(52)　骶骨(56)　小肠(25)　横结肠(29)

(2)形成瘘管:肛门、直肠(52)　肾上腺(21)　膀胱(24)上身淋巴(39)　腹部淋巴(40)　(图 183)。

2.足穴针灸

(1)经穴针灸:商丘　太冲　侠溪　公孙　照海　京骨大钟　针刺用泻法,留针 20 分钟。束骨穴埋针或针刺,对肛门手术后疼痛,治疗效果好。

(2)足象针针灸:足伏脏及腓倒脏、胫倒脏的肛门部。施以中等强度的提插、捻转手法，留针 30 分钟。

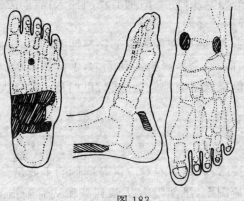

图 183

3. 足部功法

痔漏导引法：采取自由盘膝或两手抱脚，头不动，意宁足心，以意领之，使气从两足心出，再从口入，经肠道从肛门散出，反复做 21 次，然后上身左右移动，腰尽量不动。该法治疗痔漏肿痛（《古今医统》）。

狭窄性腱鞘炎

狭窄性腱鞘炎是一种慢性劳损所引起的疾病，常与职业有关，多发于手指和腕部。属于中医"筋痹"或"筋凝症"范畴。

本病多见于家庭妇女、纺织工人、电焊工、抄写员等。由于手指或腕部长期用力劳动或不协调的动作，使肌腱和腱鞘之间承受摩擦和压力，造成二者都发生水肿、肉芽组织增生和粘连，以致影响肌腱的运动。

发于手指部者常为指屈肌腱鞘炎（俗称弹响指、扳机指或弹响拇)。弹响指和弹响拇发病缓慢,初期多于晨起时患指发僵、疼痛、伸屈时发生弹响,活动后逐渐消失;后期患指不能活动,终日有弹响与疼痛。

发于腕部者,通称桡骨茎突部狭窄性腱鞘炎,于腕关节桡侧疼痛,可向前臂放射,拇指活动无力,手持热水瓶倒水时,疼痛加剧。患侧桡骨茎突部轻微隆起,可扪及一黄豆大小结节,压痛明显。

治 疗

1.足区按摩:取相关的对应区及同侧的手或足。

在足对应图上,虽然没有从膝到趾和从肘到指的外周部分,却可以采取手足相关法治疗腕部和手指部腱鞘炎。方法:在相应的踝、趾部位进行按摩。若治左侧腕关节腱鞘炎,可按摩左侧踝关节,左侧指关节腱鞘炎,则按摩左侧相对应的趾关节,以此类推。这种按摩法临床疗效确切,据报道经常出现奇效。

2.足穴针灸

足象针针灸:取足伏象、胫倒象、腓倒象的相应部位,如腕部腱鞘炎则取同侧上述各象区的腕部,其他部位亦然。施以较重的提插、捻转手法,留针30分钟。

扭 伤

扭伤是指四肢关节或躯体的软组织,如肌肉、肌腱、韧带、血管等扭伤,而无骨折、脱臼、皮肉破损的证候。扭伤多由持重不当或运动失度,不慎跌扑、牵拉以及过度扭转等原因,引起经脉、络脉及关节损伤,以致经气运行受阻,气血壅滞于局部而成。

新伤部有微肿,按压疼痛,表示伤较轻;若红肿高大,关节屈伸不利,表示伤较重。陈伤一般肿胀不明显,常因风寒湿邪侵袭而反复发作。

本病主要表现为受伤部位肿胀疼痛,关节活动障碍,临证时必须排除骨折、脱位、韧带断裂以及骨病等疾患。

治 疗

1. 足区按摩:根据扭伤部位,选取相应对应区。

颈项部扭伤:颈(7) 颈椎(53) 斜方肌(14) 腹腔神经丛(20)

肩部扭伤:肩(10) 肩胛(59) 髋关节(38)

肘部扭伤:肘关节(60)

腕部扭伤:根据手足相关法,按摩踝关节周围。

腰部扭伤:腰椎(55) 胸椎 54) 骶骨(56) 坐骨神经(58) 腹部淋巴(40) 肾上腺(21) 肾脏(22)

髋部扭伤:髋关节(35) 肾上腺(21) 肾脏(22) 腰椎(55) 骶骨(56) 坐骨神经(58)

膝部扭伤:膝(35) 肾上腺(21) 肾脏(22) 输尿管(23) 膀胱(24) (图184)。

按摩手法宜从轻到重,反复按摩刺激,同时请患者轻轻活动疼痛部位进行配合,其效果更佳。

2. 足穴针灸

(1)经穴针灸:取昆仑 束骨 地五会 申脉 涌泉 太溪 行间 丘墟 针刺用泻法,留针20~30分钟,陈伤日久,可施用灸法。

(2)奇穴针灸:下昆仑 泉生足 针刺用泻法,留针20分钟。

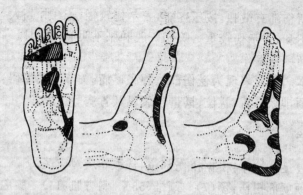

图 184

（3）足针针灸：根据扭伤具体部位，选用下列部分穴点：颈项部取落枕点；腰部取腰痛点、肾点；腰痛连下肢取腰腿、坐骨$_1$、坐骨$_2$。

新伤施以重刺激，陈伤施以中等强度刺激，均留针20分钟。

（4）足象针针灸：取足伏象、胫倒象、腓倒象的与病位相应部位。如腰扭伤，取上述象区的腰部，余皆仿此。

3.足部外敷

腰部扭伤：生附子 30g 上药研为细末，调拌白酒，外敷双侧涌泉（《中国民间敷药疗法》）。

4.足部功法

腰痛导引法：取坐位，将两脚仲平，足五趾朝上，以两手五指抚摸足五趾上，治腰痛不能弯（《诸病源候论》）。

湿　疹

湿疹是一种常见的皮肤病。由于患病部位不同,而有多种名称。如发于面部的称"奶癣"(婴儿湿疹),发于耳部的称为"旋耳疮",发于阴囊部的称"肾囊风",发于四肢肘弯腘窝的称"四弯风"等。

本病按发病急缓、病程长短,可分为急性、亚急性和慢性三类。它具有多形损害,对称分布,自觉瘙痒,反复发作,易演变成慢性等特点。若能忌食腥味及刺激性食物,可减少复发机会。

湿热证于病初起时,在局部皮肤上焮红作痒,迅速出现丘疹与小疱,搔破之后,变成糜烂,滋水淋漓。

血虚证者病情反复,病程较长,皮肤损害处颜色黯褐,粗糙肥厚,瘙痒,并有脱屑等。

治　疗

1.足区按摩:甲状旁腺(13)　肺(14)　肾上腺(21)肾脏(22)　输尿管(23)　膀胱(24)　上身、胸部、腹部淋巴(39、41、40)　腹腔神经丛(20)脾脏(34)　(图185)。

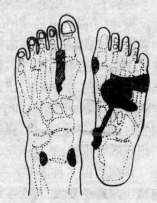

图185

淋巴区的选择应依据湿疹发生的部位而定。发于身体上部者,按摩上身淋巴;发于胸部者,按摩胸部淋巴;发于腹部及下肢者,按摩腹部淋巴。

2.足穴针灸

(1)经穴针灸：取大都穴　针刺用泻法，留针 20 分钟，有清热化湿作用。

(2)足针针灸：取肺　扁桃₁　施以中等强度刺激，留针 20 分钟。

(3)足象针针灸：均取足伏脏的肺部。此外，病灶在胸腹侧者，再取足伏脏、腓倒脏、胫倒脏中与病灶相应部位；病灶在背腰侧者，再取足伏象、腓倒象、胫倒象中与病灶相应部位。施以中等强度的提插、捻转手法，留针 20 分钟。

风疹块（荨麻疹）

风疹块，中医称"瘾疹"，西医学称"荨麻疹"，是因食虾蟹、药物或体内寄生虫等多种原因引起的一种过敏性皮肤疾患。

本病多发于全身皮肤，甚至累及粘膜。急性发作者，常突然发病，数小时后可迅速消失，不留痕迹，后又可成批出现。急性者经治疗后，多在 1 周内停止发作。慢性者反复发作，长达数周、数月，甚至数年不愈，损害为局限性、大小不等的扁平隆起，小如芝麻，大如蚕豆、核桃或更大，皮疹随搔抓增大、增多，自觉局部灼热、剧痒，或如虫行于皮肤。若同时伴有胃肠粘膜损害时，可有恶心、呕吐、腹痛、腹泻等消化系统症状，严重时，可出现喉头水肿，有气闷窒息感，甚至发生晕厥。

该病病因多种多样，应尽量找出病因，针对病因治疗，方可减少或避免复发。对于本病急性重患者，应及时采取中西医结合治法。

治 疗

1. 足区按摩：肺(14) 甲
状旁腺(13) **肾脏(22)** 横结
肠(29) 肝脏(18) 胆囊(19)
肾上腺(21) 上身、胸部、腹部
淋巴(39、41、40) (图 186)

2. 足穴针灸

(1)经穴针灸：涌泉 内庭
治疗急性风疹时,针刺用泻法,
治疗慢性风疹时,针刺用平补平泻法。

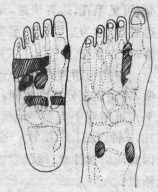

图 186

隔姜灸行间、解溪穴,配合手部合谷、阳池穴治疗急性风
疹效佳(《福建中医药》1965,249)。

(2)足针针灸：取肺点及坐骨 急性者针刺用重刺激,慢
性者针刺用轻刺激,留针 20 分钟。

(3)足象针针灸：均取足伏脏的肺部。此外,病灶在胸腹侧
者,再取足伏脏、腓倒脏、胫倒脏中与病灶相应部位;病灶在背
腰侧者,再取足伏象、腓倒象、胫倒象中与病灶相应部位。施以
中等强度的提插、捻转手法,留针 20 分钟。

斑　秃

斑秃,又称油风、圆形脱发症。本病证原因目前尚未定论,
往往与精神因素、内分泌障碍有关。斑秃是一种局限性斑块脱
发,有时一夜之间头发脱几片,脱发区大小不等,呈圆形、椭圆
形或不规则形,数目不一,有时相邻的几块互相融合。有些脱
发者在梳头时偶然发现脱发,却不知何时脱落。患处皮肤光

亮,可见毛孔,边界清楚,无炎症现象。少数患者可全部头发迅速脱落,称为全秃。甚至个别患者的眉、须、腋毛、阴毛也会脱落,称为普秃。

本病与精神因素有一定关系,故应避免对精神的不良刺激,并保证充分睡眠时间,加强体育锻炼。为预防脱发及复发,平素可用双手有顺序地搔抓头皮,搔抓到发红为止,每次 5～10 分钟,每日 2～3 次。油腻食物摄入过多会影响毛发生长,因此应引起注意。绿色食物则有利于毛发生长,可使脱发早日治愈。

治 疗

1. 足区按摩:肾脏(22) 肺(14)　头(1)　脑垂体(4) 甲状旁腺(13)　肾上腺(21) 输尿管(23)　膀胱(24)　生殖腺(36)　(图 187)

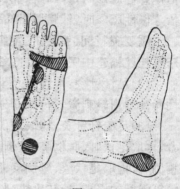

图 187

中医认为对头发生长最有影响的是肾与肺,故治疗时先取肾脏、肺脏对应区,且刺激时间应长些,之后再酌情选用其他对应区。

2. 足穴针灸

(1)经穴针灸:针刺公孙穴,对改善睡眠有明显效果,同时有镇静作用,针刺用补法,留针 30 分钟。亦可艾灸太溪穴,以补肾气,生毛发。

(2)足针针灸:取头面　安眠　肺　肾点　针刺用轻刺激,留针 30 分钟。

(3)足象针针灸:均取足伏脏的胸腔区及腹腔区肾的部

位,此外再取足伏象的后头、项部,足伏脏的额部,或取胫倒象、腓倒象的后头、项部。针刺施以较轻的提插、捻转手法,留针 30 分钟。

第五节　五官科疾病

目赤肿痛

目赤肿痛是多种眼疾中的一个急性症状,俗称"红眼"、"暴发火眼",中医称"风热眼"、"暴风客热"、"天行赤眼",西医学称为急性结膜炎、假膜性结膜炎以及流行性角结膜炎。

本病多因外感风热时邪,侵袭目窍,郁而不宣;或因肝胆火盛,循经上扰,以致经脉闭阻,血壅气滞,倏然发生目赤肿痛。

本病特点是,目睛红赤,畏光,流泪,目涩难开。初起时仅一日即可渐及对侧。若兼有口苦、烦热、舌边尖红、脉弦数等,为肝胆火盛所致。

目赤肿痛好发于春秋季节,常引起流行。患病后应注意眼睛的卫生,减少视力活动,睡眠宜充足,勿食辛辣之物如葱、蒜、辣椒等,戒发怒,戒房劳。最好用流水洗脸,脸盆、毛巾、香皂等物品,不可混用,以免传染给他人。

治　疗

1. 足区按摩:眼(8)　额窦(2)　头(1)　肾脏(22)　肝脏(18)　上身淋巴(39)　腹部淋巴(40)　(图188)

2. 足穴针灸

（1）经穴针灸：酌情选用下列腧穴：内庭　足临泣　地五会　侠溪　足窍阴　昆仑　申脉　京骨　束骨　足通谷　至阴　照海　行间　太冲。上述腧穴均用泻法，留针 20～30 分钟。

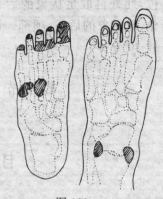

图 188

（2）足针针灸：头面　肝肾点　针刺用重刺激，留针 20 分钟。

（3）足象针针灸：取足伏脏的额、面部，腹部的肝、肾区，胫倒脏、腓倒脏的头面部。施以较重的提插、捻转手法，留针 20 分钟。

3. 足部外敷

（1）火眼：生大黄　生南星各 15g 为末　上药醋调敷足心（《贵州民间方药集》）。《广西赤脚医生》，1977，（6），报道用上方治疗小儿胎热眼肿有显效，并附 1 病例。

（2）小儿赤眼：黄连为末，水调，贴足心，甚妙（《全幼心鉴》、《圣济总录》）。

（3）小儿赤眼：胡黄连为末，茶调涂手足心（《济急仙方》）。

（4）小儿两眼肿痛：熟地黄 30g，以新汲水浸透，捣碎后贴两脚心，布裹住，立效（《寿世保元》）。

（5）急慢性结膜炎：吴茱萸　附子各等份　上药研为细末，用醋调成膏，敷足涌泉穴（《腧穴敷药疗法》）。

（6）角膜溃疡：生南星 1 个　生大黄等量　上药共为末，醋调贴足心（《常见病验方研究参考资料》）。

针眼（麦粒肿）

针眼又名土疳、土疡，俗名"偷针"。本病主要症状在于眼睑发生硬结，形如麦粒，痒痛并作，故又称"麦粒肿"。

本病初起时眼睑痒痛并作，患处睫毛毛囊根部皮肤红肿、硬结，形如麦粒，推之不移。继则红肿热痛加剧，甚则拒按，垂头时疼痛加剧。轻者数日内未经成脓而自行消散。较重者要经3～5天后，于睫毛根部附近或相应的睑结膜上出现黄色脓点，不久可自行溃散，流出脓液而愈。本病有惯发性，多生于一目，也有两目同时而发者，或一目肿后，另目又起。因脾胃湿热者，兼有口臭、心烦、口渴、苔黄腻、脉濡数等症。因外感风热者，则有恶寒、发热、头痛、咳嗽、苔薄、脉浮数等。患处未成脓前切忌挤压，以免炎症扩散而引起眼睑蜂窝织炎。

治 疗

1. 足区按摩：眼（8） 甲状旁腺（13） 上身淋巴（39）腹部淋巴（40） 肾脏（22） 肝脏（18） （图189）。

2. 足穴针灸

（1）经穴针灸：内庭 足临泣 地五会 侠溪 足窍阴申脉 京骨 束骨 至阴 照海 行间 太冲 针刺用泻法，留针20分钟。

（2）足针针灸：头面 肝、肾点针刺用中等度刺激，留针20分钟。

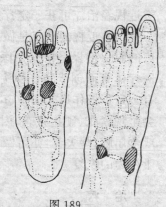

图189

(3)足象针针灸：取足伏脏的额、面部，腹部的肝、肾区，胫倒脏、腓倒脏的头面部。施以中等强度的提插、捻转手法，留针20分钟。

近　视

　　近视是一种屈光不正的眼病，外观眼部一般无明显异常，只是对远处的物体、字迹辨认困难。即近看时清楚，稍远则模糊，古称"能近怯远"症。发病年龄常见于青少年。

　　近视较重者视力在 0.1～0.3 之间，轻度近视者视力一般在 0.5～0.7 之间。

　　本病可因先天遗传、眼球形体异于正常所致，此类近视治疗很难收效。后天形成的近视，多因学习或工作时，光线不良，或体位不正，或久阅细字，雕镂细刻等均可形成后天近视，这类近视经治疗可获一定疗效。

　　预防近视的重点是做好青少年的视力保护工作。当前推广的眼保健操是根据中医推拿及经络穴位的治疗经验，结合医疗体育而创造的一种按摩法，对保护眼部健康和预防近视有一定积极作用。据报道，患有近视病的人，手腕和足踝大都会呈现紧张、硬化状态，因此要经常做全身放松的动作，摇摆或弯屈腕、踝关节，亦可做回转运动，以消除这些症状，则有利于视力的恢复。

治　疗

　　1.足区按摩：眼（8）　额窦（2）　甲状旁腺（13）　肾脏（22）　肾上腺（21）　输尿管（23）　膀胱（24）　肝脏（18）（图 190）。

眼区部位较小,用手指按摩困难,可用刺激棒仔细按压。右脚肝脏对应区的范围较大,可用两手指关节角上下或呈环形按压,以增强刺激。

图190

2. 足穴针灸

(1)经穴针灸:内庭　足临泣　地五会　侠溪　足窍阴　昆仑　京骨针刺用平补平泻法,留针30分钟。

(2)足针针灸:头面　肝　肾点针刺用轻刺激,留针30～40分钟。

(3)足象针针灸:取足伏脏的额、面部,腹部的肝、肾区,胫倒脏、腓倒脏的头面部。针刺施以弱刺激的提插、捻转手法,留针30分钟。

3. 足部功法:屈膝如坐,用两手搬起两脚的五趾,尽力低头,使五脏之气上头。可治疗眼昏不明,耳鸣耳聋。

青盲(视神经萎缩)

青盲患者之眼外观如常,瞳孔无异常,无障翳气色,唯感视力逐渐减退。初期自觉视物昏渺,蒙昧不清,或眼前阴影一片,甚至呈现青绿蓝碧或赤黄之色。若日久失治,不辨人物,不分明暗者,即为青盲。西医学的原发性视神经萎缩、视神经乳头炎症、视网膜动脉栓塞、视网膜色素变性、青光眼等眼底病的后期所继发的视神经萎缩等病均可见上述临床表现。

青盲若属肝肾阴亏者,多见眼中干涩,头晕,耳鸣,遗精,腰酸,舌质红,脉细。若为心营亏损者,多见眩晕,心烦,怔忡,健忘,多梦,失眠,舌质红,脉虚弱。

治 疗

1. 足区按摩:眼(8) 肾
脏(22) 肾上腺(21) 输尿管
(23) 膀胱(24) 头(脑)(1)
脑干、小脑(3) 上身淋巴(39)
腹部淋巴(40) 肝脏(18)
(图191)。

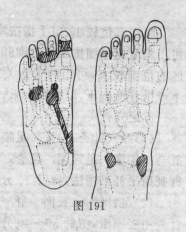

图 191

每日按摩 1～2 次,每次
30 分钟。

2. 足穴针灸

(1)经穴针灸:足临泣 行间 照海 至阴 针刺用平补
平泻法,留针 30 分钟,可酌情应用灸法。

(2)足针针灸:头面 肝 肾点 针刺用中等强度刺激,
留针 20 分钟。

(3)足象针针灸:取足伏脏的额、面部,腹部的肝、肾区,胫
倒脏、腓倒脏的头面部。针刺施以中等强度的提插、捻转手法,
留针 30 分钟。

3. 足部功法:屈膝如坐,用两手搬起两脚的五趾,尽力低
头,使五脏之气上头。可治疗眼昏不明,耳鸣耳聋。

老 花 眼

人到 50 岁左右,在阅读或作近距离工作时视力逐渐减
低,视物不清,且逐年加重的现象称为老花眼,又称老视眼。从
生理学角度看,眼睛的调节力在 10 岁前最强,以后随着年龄
的增长而渐减弱,到了 50 岁左右眼睛自身调节能力就很少

了,而出现老花眼。

该病的特点是:看远处景物尚清晰,而看近处景物却不清楚。如看书,在平素的距离内则看不清楚,而将书放在稍远处却能看得清晰些。同时,看书时间稍久或光线不足时,眼睛则很快发生疲劳,因此需配戴老花镜。

有时由于长时间阅读或写字,会出现眼睑沉重感,或头痛、眼胀、视力模糊等症状,这种情况一般被称为眼疲劳现象,亦可以用足底按摩法进行治疗。

治 疗

1.足区按摩:眼(8)肩(10) 颈(7) 肝脏(18)肾脏(22) 生殖腺(36)(图192)。治疗眼疲劳现象,可先进行10分钟的足底部基础按摩,然后按摩各足趾根部,可迅速缓解症状。

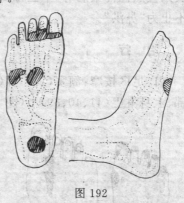

图 192

2.足穴针灸

(1)经穴针灸:厉兑 束骨 足临泣 地五会 足窍阴申脉 至阴 照海 行间 太冲 上述腧穴可酌情选用,针刺用平补平泻手法,留针30分钟。亦可用一支点燃的香烟头对准行间穴,一会儿近,一会儿远地进行雀啄灸法。

(2)足针针灸:取头面 肝 肾点 针刺用轻刺激,留针30分钟,可酌情用灸法。

(3)足象针针灸:参见"青盲"节。

(4)足部功法:参见"青盲"节。

鼻出血（鼻衄、鼻洪）

鼻出血是多种疾病的常见症状，它往往不是独立的疾病，只是一种体征。引起鼻出血的原因分局部性和全身性两大类。鼻腔局部病因有鼻外伤、炎症、息肉、肿瘤等，全身病因有高血压、动脉硬化、血液病、肺心病、风湿热中毒、维生素类缺乏以及某些热性传染病等。中医称少量鼻出血为"鼻衄"，严重出血不止为"鼻洪"。

治 疗

1.足区按摩：额窦（2） 鼻（6） 甲状旁腺（13） 胸部、腹部、上身淋巴（41、40、39） （图193）

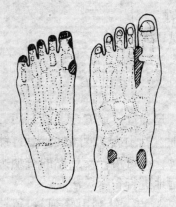

鼻出血时，可轻轻地刺激鼻、甲状旁腺、额窦等对应区5～10分钟，在应用上述按摩手法同时，用冷水湿敷前额、鼻根部，则更有利于止血。

图193

2.足穴针灸

（1）经穴针灸：昆仑　厉兑　申脉　京骨　足通谷　至阴　涌泉　太溪　行间　以上各穴可酌情选用，均用泻法针刺，留针 30 分钟。

（2）足针针灸：头面　肺点　针刺用中等强度刺激，留针20 分钟。

（3）足象针针灸：取足伏脏的面部，胫倒脏及腓倒脏的头面部。施以较重的提插、捻转手法，留针 30 分钟。

3.足部外敷

（1）鼻衄不止，服药不应：大蒜 1 枚，去皮研如泥，作钱大饼子，厚一豆许，左鼻出血贴右足，反之亦然，两鼻俱出，俱贴之。立瘥（《简要济众方》）。

（2）孕妇鼻衄：吴茱萸 12g，用黄酒浸数小时后备用。临睡时用布涂扎脚心，或用醋调敷脚心（《常见病验方研究参考资料》）。

（3）鼻衄方：大蒜 5 个　生地 15g　韭菜根适量　将大蒜去皮后与生地一起捣烂如泥。韭菜根洗净，切细捣汁半小杯，加适量汗水以备用。用法：将捣烂的药物摊在青布上，做一个约铜钱大，厚 1 分的蒜泥饼，左侧鼻孔出血贴在右足心，右侧鼻孔出血贴左足心。同时服用已稀释好的韭菜根汁，5 分钟可止血（《福建中医杂志》，1956，（6））。

（4）血热妄行所致鼻衄：生大黄　生山栀　黄连各 20g肉桂 5g　上药共研细末，醋调成饼，敷于涌泉穴（《浙江中医杂志》，1986，（12），21）。

鼻　渊

鼻渊，又名"脑渗"、"脑漏"，与西医学之急、慢性鼻窦炎相似。病人常因头痛就诊，表现为额部胀痛或跳痛，开始于上午10 时左右，下午渐减轻；额部有触痛或叩痛。急性上颌窦炎常有上颌牙痛及面颊痛，犬齿凹有触痛。急性筛窦炎为眼内眦部或额部痛，内眦部可有触痛，鼻内分泌物增多，鼻阻塞，鼻腔粘膜红肿，中鼻甲附近尤显，有时可有嗅觉减退或中耳道有脓液。如为齿源性上颌窦炎，则有牙齿病同时存在。如为气压改变所致，多发生于航空飞行之后。X线照相可助诊断。

近年过敏性鼻炎明显增多，一般药物治疗效果均不满意。用足穴按摩治疗后，治愈率可达90％，另10％亦可收显效。过敏性鼻炎的主要症状是打喷嚏、流鼻涕或鼻塞。过敏原因很多，有因接触毛皮、纤维、花粉引起者，亦有因某些灰尘、化学物质引起者。

据报道，有鼻塞现象时，扭动身躯往往就可以纠正。如果右侧鼻孔阻塞，可将身躯向左侧扭动；如果左侧鼻孔阻塞，可将身躯向右侧扭动。亦可俯卧在床上或地板上，随着"一、二、三"的口令，将双脚举起，并轮流敲打尾骨，反复做2～3分钟。

治 疗

1. 足区按摩

（1）鼻窦炎：鼻（6） 甲状旁腺（13） 上身淋巴（39） 腹部淋巴（40） 额窦（2）

（2）过敏性鼻炎：鼻（6）喉、气管（48） 肺（43） 脑垂体（4） 肾上腺（21） 上身淋巴（39） （图194）

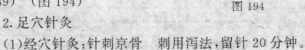

图194

2. 足穴针灸

（1）经穴针灸：针刺京骨 刺用泻法，留针20分钟。

（2）足针针灸：取头面 肺点 针刺用中等强度刺激，留针20分钟。

（3）足象针针灸：取足伏脏的额、面部,胫倒脏及腓倒脏的头面部。施以中等强度的提插、捻转手法,留针20分钟。过敏性鼻炎酌加足伏脏的胸腔。

3.足部外敷

（1）脑漏鼻渊：大蒜切片,贴足心,取效(《摘玄方》)。

（2）老人鼻中流涕不干：独蒜4～5个,捣如泥,贴脚底心下,用纸贴之,其涕不再发(《寿世保元》)。

（3）鼻流浊涕,臭秽,鼻塞不通：将生附子研为细末,以葱涎(葱管内粘液)调成膏状,取膏35g,贴双足涌泉穴,外敷纱布,以胶布固定,1日1换(《穴位贴药疗法》)。

（4）鼻渊：生附子31g　面粉16g　葱8g　生附子研末,葱捣如泥,和酒调面粉,包脚心(《方药集》)。

耳鸣、耳聋

耳鸣、耳聋,是听觉异常的症状。耳鸣是指自觉耳内鸣响,耳聋是指听力减退或听力丧失,耳鸣常是耳聋的先兆。因两者在病因及治疗方面大致相同,故合并论述。耳鸣、耳聋可分虚实两类。

若因暴怒惊恐,肝胆火旺,或痰热郁结所致者属实证。此型发病急暴,耳聋,或耳中闷胀,鸣声不断,声响如蝉鸣或海潮声,按之不减。肝胆火旺者可伴面赤,口干,烦躁善怒,脉弦。

若因肾精亏耗,精气不能上达于耳者属虚证。此型多发于久病之后,或耳鸣时作时止,声细调低,操劳则加剧,按之鸣声减弱。多兼有头晕、腰酸、遗精、带下,脉虚细。

癔聋虽亦可突然发生耳聋,但多为双侧性。其特点是听而不闻,无耳鸣及眩晕,平衡功能正常,常伴有其他癔病症状或有明显精神创伤因素。治疗本病还可以结合自我按摩疗法。患者以两手掌心紧按外耳道口,同时以四指反复敲击枕部或乳突部,继而手掌起伏,使外耳道口有规律地开合,坚持每天早晚各做数分钟。

治 疗

1.足区按摩:耳(9) 内耳迷路(42) 头(1) 上身淋巴(39) 腹部淋巴(40) 甲状旁腺(13) (图195)。

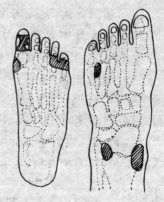

图195

2.足穴针灸

(1)经穴针灸:内庭 足临泣 地五会 侠溪 足窍阴 申脉 金门 束骨 太溪 虚证针刺用补法,实证针刺用泻法,留针20～30分钟。

(2)足针针灸:头面 肾点 眩晕点 虚证针刺用弱刺激,实证用强刺激,留针20分钟。

(3)足象针针灸:取足伏脏下腹部的肾区,额、颈部,胫倒象、腓倒象的后头、项部。实证配合足伏脏、胫倒脏及腓倒脏上腹部的肝、胆区。虚证施以轻的提插、捻转手法,留针30分钟;实证施以重的提插、捻转手法,留针20分钟。

暴 喑

暴喑,系指突然声音嘶哑或失音的急性喉部病证。西医学中的急性喉炎、声带劳损所致的失音及其癔病性失音,均属本病范畴。

急性喉炎所致的暴喑,症见突然嘶哑或失音,咽喉部灼热微痛。如为风寒,则兼发热,恶寒,头痛,咳嗽,痰黄,口渴引饮,脉浮数,苔薄黄。如热盛则喉痛增剧,壮热口臭,咯痰黄稠,腹胀,便秘尿赤,脉洪大而数,舌红,苔黄厚。

癔病性失音,为神经官能性疾病。发病前常有明显的精神创伤因素,常突然发生。轻者只有耳语,偶尔可带出声音;重者不发音,只是摇头或打手势,以示不能言语,并急躁不安。

失音往往是喉癌的信号之一,对病程较长或治疗无效的患者,宜进行五官科检查确诊,以免延误治疗时机。

治 疗

1. 足区按摩:喉、气管、声带(48) 扁桃腺(45) 上身淋巴(39) 腹部淋巴(40) 颈(7)(图196)。

2. 足穴针灸

(1)经穴针灸:涌泉 行间 太溪 针刺用泻法,留针20分钟。

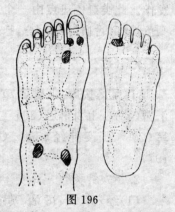

图196

(2)足针针灸:头面 心 肺点 针刺用强刺激,留针20分钟。

(3)足象针针灸:取足伏脏、腓倒脏及胫倒脏的头、颈、胸腔部。施以重的提插、捻转手法,留针20分钟。

口 疮

在口腔内粘膜上出现黄白色如豆粒大小的溃疡点,称为口疮,亦称口疳。临床可分为实证和虚证二类。

实证多因过食油腻,大量饮酒,以致脾胃积热,热盛化火,循经络上攻于口腔所致。此型发病迅速亦易治愈。此类口疮生于唇、舌或颊内等处,为多处黄豆或豌豆大小的黄白色溃烂斑点,呈圆形或椭圆形,周围有微突起的鲜红色边缘,有疼痛感,尤以饮食时为甚。可兼见发热、口渴、尿色黄、脉数。

虚证多因虚火上炎而致,发病缓慢而难治愈,且往往反复发作。此类口疮斑点由一个至二三个不定,表面黄白色,周围颜色淡红,舌质鲜红无苔,脉虚细。

治 疗

1.足区按摩:上腭(47) 下腭(46) 上身淋巴(39) 额窦(2) 三叉神经(5) (图197)

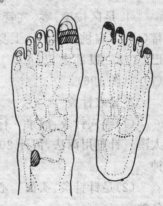

图 197

2.足穴针灸

(1)经穴针灸:厉兑 针刺施以泻法,留针10分钟,亦可用三棱针点刺出血。

(2)足针针灸:取头面 心肾点 针刺用中等量刺激,留针30分钟。

(3)足象针针灸:取足伏脏、腓倒脏、胫倒脏的头、面、颈、胸腔部。用中等强度提插、捻转手法,留针20分钟。

3. 足部外敷

（1）生南星　生大黄各 5g　上药研末后醋调敷足心（《贵州民间方药集》）。

（2）复发性口疮炎：附子　肉桂等份　上药捣碎，用醋调敷双足涌泉穴。

（3）口舌糜烂：蚯蚓、吴茱萸和生面涂足心（《本草纲目简编》）。

（4）生南星研末，每天用 3～5g，醋调敷涌泉，每晚睡前敷，连用数天。因该药有毒，不可入口（《上海常用中草药》）。

（5）小儿口腔糜烂：将吴茱萸研为细末，加入鸡蛋清适量，调和为丸，如蚕豆大，将药丸贴于双足涌泉穴，外用胶布固定，2 日换药 1 次，一般 2～3 次可愈（《穴位贴药疗法》）。

（6）小儿初生后，舌上生疮溃烂，不能吮乳：明矾研为细末，用鸡蛋清调如糊状，敷于双足涌泉穴，干后再换（《穴位贴药疗法》）。

牙　痛

牙痛为口腔疾患中常见的症状，一般可分为五类：龋齿牙痛、风热牙痛、风寒牙痛、胃热牙痛及虚火牙痛。其中以龋齿牙痛为最常见，且经常发作，必须由口腔科医生作彻底治疗。

龋齿牙痛：牙齿蛀孔疼痛，时发时止，如无意用病牙嚼食，伤其牙根，则立时作痛。

风热牙痛：牙齿作痛，牙龈肿胀，不能嚼嘴，腮肿而热，患处得凉则痛减，口渴，舌尖红，苔白干，脉浮数。

风寒牙痛：牙齿作痛，时恶风寒，患处得热痛减，口不渴，舌苔白滑，脉迟缓。

胃热牙痛：牙齿疼痛，牙龈肿胀，口渴而有臭气，大便秘结，舌苔干黄，脉象洪数。

虚火牙痛：牙痛隐隐，时作时止，牙根浮动，颧红咽干，舌尖红，脉细数。

治　疗

1. 足区按摩：颈（7）　上腭（47）　下腭（46）　胃（15）肝（18）　小肠（25）　上身淋巴（39）　（图198）。

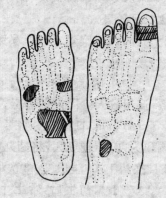

图 198

上、下腭、颈区部位狭小，可用手指做上下揉搓或画圆式揉搓，上身淋巴区应给予较强刺激。

2. 足穴针灸

（1）经穴针灸：冲阳　内庭　厉兑　足临泣　昆仑　太溪虚火牙痛者针刺用平补平泻法，其他各型均用泻法，留针30分钟。

（2）奇穴针灸：外踝前交脉　女膝　八风　针刺用泻法，留针20分钟。

（3）足针针灸：头面　牙痛$_1$　牙痛$_2$　针刺用强刺激，虚火牙痛者加肾点，留针30分钟。

（4）足象针针灸：取足伏脏、腓倒脏、胫倒脏的头、面、颈、胸腔部。虚证加下腹部的肾区；实证加上腹部的胃区。针刺时实证施以重的提插、捻转手法，留针20分钟；虚证施以轻的提插、捻转手法。

3. 足部外敷

(1)阴虚牙痛:生附子末,口津调敷两足心,极效(《华佗神方秘传》)。

(2)肾虚牙痛:附子、吴茱萸、细辛各15g　大黄6g　上药共研细末,醋调成饼,敷于涌泉穴,每日换药1次(《浙江中医杂志》,1986,(12),21)。

(3)牙根腐烂:生大黄9g　丁香10粒　绿豆6g　上药共研末,热醋调敷足心(《穴位贴药疗法》)。

咽 喉 肿 痛

咽喉肿痛属中医喉痹范畴。该病证由于病机不同,而有风热、阴虚之别,前者起于外感,后者多因内伤。

外感所致的咽喉肿痛,多在咽喉疼痛之时或稍早,即有外感症状出现,如发热恶风、头痛咳嗽等,且起病较快,病程较短。初起时,咽喉部干燥灼热、微红、微肿、微痛,或感觉吞咽不利,以后红肿逐渐加重,疼痛也随之加剧。此时喉间或有异物堵塞感,痰黄而稠粘,言语艰涩或音哑,脉浮数。

内伤所致的咽喉肿痛,起病较慢,劳倦后常常加重,其肿痛多伴有咽部干涩,外观局部红肿亦不如外感者显著,疗程较长。发病时咽喉部微红微肿,吞咽微痛,甚者咽喉腐烂,出现白色脓点,清晨较轻,午后加重,夜间尤甚,多伴有喉舌干燥、颧赤唇红,手足心热,精神疲乏等全身症状。查舌质鲜红,脉象细数。

咽喉肿痛常伴有发热,一般多认为是扁桃腺发炎所引起,事实上,除了大部分是扁桃腺发炎以外,亦可能是急性咽炎、溃疡性咽峡炎等。

治 疗

1.足区按摩:颈(7)　扁桃腺(45)　喉(48)　耳(9)　胸(43)　淋巴(上身)(39)　肾脏(22)　肾上腺(21)　膀胱(24)（图199）。

用食指和中指关节角向外揉搓耳区,用指关节角按摩颈区。用拇指仔细按摩肾脏区。按摩上身淋巴区时,因该区很敏感,故不要用力过重,应慢慢地加以刺激。鉴于该区部位狭小,可用按摩棒进行刺激。

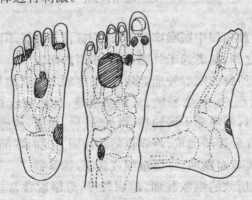

图 199

2.足穴针灸

(1)经穴针灸:外感所致的咽喉肿痛取内庭、冲阳、厉兑、足临泣,针刺施以泻法。内伤所致的咽喉肿痛多取涌泉、太溪、照海、太冲,针刺施以补法。一般留针20分钟。厉兑可用三棱针点刺出血。若指压然谷穴也能消除咽喉肿痛。

(2)足针针灸:扁桃$_1$　扁桃$_2$　头面　心点为通取穴　急性咽喉肿痛加眩晕点;虚证加肾点。实证针刺用强刺激,虚证针刺用中等强度刺激,留针 20 分钟。

(3)足象针针灸:取足伏脏、腓倒脏、胫倒脏的头、颈、胸腔部。虚证加下腹的肾区。实证者针刺施以重的提插、捻转手法;内伤所致者施以中等刺激的提插、捻转手法。一般留针 20 分钟。

3.足部外敷

(1)附子、吴茱萸、细辛各 15g 大黄 6g 上药共研细末,醋调做饼,敷于涌泉穴,每日 1 换。适用于肾虚于下,虚火上炎所致的咽喉肿痛(《浙江中医杂志》,1986,(12):21)。

(2)将面粉和辣椒粉混合,加水搅匀,然后湿敷整个足底,就能减轻咽喉肿痛,湿敷时间约 2～3 小时。

(3)生附子(或用吴茱萸亦可)研为细末,再以好醋煎热,醋调敷两足心(《增广验方新编》)。

4.足部薰浴:咽喉肿痛时,可将双脚泡在热盐水中,即可消除症状。

主 要 参 考 书 目

1. 金慧明. 健身足穴按摩, 清华大学出版社, 1992 年

2. 于存海等. 百病家庭足部康复疗法, 中国医药科技出版社, 1991 年

3. 满庆茹等. 手足自我按摩治百病, 长春出版社, 1992 年

4. 杭雄文. 足部反射区健康法学习手册, 中国华侨出版公司, 1991 年

5. 五十岚康彦. 脚底按摩健康法, 金逸图书有限公司, 1985 年

6. 汤淑梁等. 脚部按摩疗法, 东南大学出版社, 1991 年

7. 孙向鸿等. 实用足部健身法, 中国广播电视出版社, 1992 年

8. 刘道清. 中国民间疗法, 中原农民出版社, 1987 年

9. 刘冠军. 中医针法集锦, 江西科学技术出版社, 1988 年

10. 张伯臾. 中医内科学, 上海科技出版社, 1985 年

11. 莫文丹. 穴敷疗法聚方镜, 广西民族出版社, 1988 年

12. 方云鹏. 手象针与足象针, 陕西科学技术出版社, 1986 年